DATE DE RETOUR
Veuillez rapporter ce volume avant ou
la dernière date ci-dessous indiquée.

CLAIRE MACKAY

LE BASEBALL, D'UN BUT À L'AUTRE

Pour les jeunes de tout âge

ILLUSTRATIONS DE BILL SLAVIN

Traduit de l'anglais par
Jean-Luc Duguay
sous la direction de Yvon Brochu, R-D création enr.

EH **Héritage jeunesse**

Données de catalogage avant publication (Canada)

Mackay, Claire, 1930-

Le baseball, d'un but à l'autre

Comprend un index.
Traduction de : Touching all the bases.

ISBN 2-7625-8012-9

1. Base-ball - Ouvrages pour la jeunesse. I. Slavin,
Bill. II. Titre.

GV867.5.M2414 1995   j796.357   C95-940177-6

Touching All the Bases
Texte Copyright © 1994 Claire Mackay
Illustrations copyright © 1994 Bill Slavin
Publié par Scholastic Canada

Version française
Copyright © Les éditions Héritage inc. 1995
Tous droits réservés

Dépôts légaux : 1er trimestre 1995
Bibliothèque nationale du Québec
Bibliothèque nationale du Canada

ISBN : 2-7625-8012-9

Imprimé au Canada

LES ÉDITIONS HÉRITAGE INC.
300, rue Arran, Saint-Lambert (Québec) J4R 1K5
(514) 875-0327

Signatures

Textes. Page 67 : paroles de « Take Me Out to the Ball Game » reproduites avec la permission de Jerry Vogel Music Company, Inc. 76 : carte de pointage tirée de Baseball by the Rules (c) Glen Waggoner, Kathleen Moloney, Hugh Howard.

Photos. Page frontispice : The Stock Market. Quatrième de couverture : photo de Claire Mackay par Peter Carver. Page 5 : (en haut à droite) illustration tirée de A Little Pretty Pocket-Book, publiée originalement par John Newbery en 1744, reproduite à partir d'une édition en fac-similé dans The Osborne Collection of Early Children's Books, Toronto Public Library. 7 National Baseball Library & Archive, Cooperstown, N.Y. 9 : (en bas) Negro Leagues Baseball Museum ; (en haut à droite) National Baseball Library & Archive, Cooperstown, N.Y. 11 : (en bas à droite) de Bat, Ball, Glove : The Making of Major League Baseball Gear par William Jaspersohn. Copyright (c) 1989 par William Jaspersohn. Avec la permission de Little, Brown and Company. 19 : Behac/Canada Wide avec la permission de Minnesota Twins Baseball Club. 20 : The Stock Market. 23 : National Baseball Library & Archive et The Bettmann Archive. 26 : (à gauche) photo du Yankee Stadium reproduite avec la permission de New York Yankees ; (en bas) photo de l'Astrodome reproduite avec la permission de Astrodome USA. 27 : (en haut) Mark O'Neill/Canada Wide ; (en bas) photo du Stade olympique reproduite avec la permission du Club de baseball Montréal Inc. 34 : National Baseball Library & Archive. 38/39 : (au milieu) National Baseball Library & Archive. 41 : (à gauche) Claus Andersen/Masterfile ; (à droite) National Baseball Library & Archive avec la permission de Pam Postema. 43 : (c) Sobel/Klonsky/The Image Bank Canada. 47 : (toutes photos) National Baseball Library & Archive. 49 : National Baseball Library & Archive. 52 : (en haut) National Baseball Library & Archive ; (au milieu) Canapress Photo Service (Hans Deryk) avec la permission de Toronto Blue Jays Baseball Club ; (en bas) Behac/Canada Wide avec la permission de Minnesota Twins Baseball Club. 53 : National Baseball Library & Archive et Canapress Photo Service. 54 : (au milieu) National Baseball Library & Archive ; (en bas) Canapress Photo Service (Bill Grimshaw) avec la permission de Buck Martinez ; (à droite) Gary Carter avec la permission du Club de baseball Montréal Inc. 55 : (en haut) Negro Leagues Baseball Museum ; (en bas) National Baseball Library & Archive. 57 : National Baseball Library & Archive. 59 : (Leo Durocher, Billy Martin et George « Sparky » Anderson) National Library & Archive ; (Gene Mauch) Club de baseball Montréal Inc. 60 : Canapress Photo Service (Phill Snel) avec la permission des Indians de Cleveland. 68 : photo fournie par The Sporting News. 69 : photo de Sherry Davis utilisée avec la permission des Giants de San Francisco. 70 : Club de baseball Montréal Inc. 71 : Club de baseball Montréal Inc. 81 : Canapress Photo Service et World Wide Photo. 88 : National Baseball Library & Archive. 91 : Club de baseball Montréal Inc.
Note : Les emblèmes de la Ligue Américaine, de la Ligue Nationale et de leurs clubs ont été reproduits avec la permission de Major League Baseball Properties Inc.

À Nicky et Dan Scrimger, des fans et amis de toujours
Claire Mackay

À mes neveux Josh, Jake et Kyle
Bill Slavin

Remerciements

Sans la générosité et le talent de plusieurs personnes, *Le baseball, d'un but à l'autre* n'aurait peut-être jamais vu le jour. Je remercie particulièrement le personnel de la Osborne Collection of Early Children Books, ainsi que la romancière Alison Gordon, le journaliste de sport James Davidson et Peter Widdrington, président du conseil, Toronto Blue Jays Baseball Club, trois lecteurs attentifs qui m'ont évité de commettre des erreurs. Merci également à John et Chieko Wales, pour qui le baseball japonais n'a pas de secrets ; à Rich Morris, de Hollywood Bases Inc., dont le télécopieur m'a été si précieux ; à Tyler Kepner, dont la carte de baseball apparaît à la page 69 ; et à Marian Hebb qui a été un guide indispensable. Enfin, je m'en voudrais de ne pas mentionner Nicky et Dan Scrimger, à qui j'ai dédié ce livre, Bernice Bacchus, mère et recherchiste modèle, mon mari Jack, compréhensif tout au long, et mon éditeur Charis Wahl, mon mentor à travers les neuf manches.

Claire Mackay

Mot du traducteur

Ce livre de Claire Mackay comble un besoin. Jamais l'histoire du baseball n'avait été racontée aux jeunes Canadiens avec un tel soin, un tel enthousiasme, un tel humour. Claire Mackay convie ses lecteurs à un voyage dans le temps peuplé de personnages réels et fantastiques à la fois, tantôt célèbres, tantôt obscurs, mais toujours intéressants et présentés de façon originale. *Le baseball, d'un but à l'autre* regorge d'informations pratiques sur la nature même du baseball, ses règles, ses subtilités, mais sans être jamais assommant. Il faut savoir gré à l'auteure de n'avoir pas oublié que le baseball avait été inventé par des hommes et qu'il ne sera jamais plus grand que ceux qui l'ont bâti. Je m'en voudrais aussi de ne pas souligner l'excellent travail de Bill Slavin qui a illustré avec finesse et drôlerie les savoureuses histoires de Claire Mackay. Les dessins et les mots ne se sont jamais aussi bien accordés que dans les pages qui suivent. Pour terminer, j'aimerais dire que je ne suis pas encore convaincu que *Le baseball, d'un but à l'autre* est strictement un livre pour enfants. Les aînés y trouveront aussi matière à renseignements et à surprises et sortiront rajeunis de cette lecture captivante. Que Claire Mackay en soit remerciée et puissiez-vous trouver autant de plaisir à lire *Le baseball, d'un but à l'autre* que j'en ai eu à le traduire.

Jean-Luc Duguay

TABLE DES MATIÈRES

1re MANCHE

NAISSANCE ET CROISSANCE DU BASEBALL

Rectifions d'abord les faits : le baseball n'a pas été inventé par Abner Doubleday dans un champ de Cooperstown par un jour d'été de 1839. Le soldat Doubleday s'était illustré à Gettysburg durant la Guerre civile américaine. Son journal, pourtant scrupuleusement tenu, ne fait aucunement mention du baseball. De plus, Doubleday était loin de Cooperstown en 1839. Il a sans doute assisté à des matchs, il a peut-être joué au baseball, mais il ne l'a pas inventé.

L'histoire a été forgée de toutes pièces en 1907 par Alfred G. Spalding, ancien lanceur étoile des Red Stockings de Boston, propriétaire de clubs et riche fabricant d'articles de sport. Al déniche un type, un certain Abner Graves, qui jure qu'Abner est le père du baseball. Il prétend même que le terme « baseball » est de son cru. Au fond, Spalding ne peut supporter l'idée que ce sport ne soit pas vraiment américain.

Voici la vérité : les jeux de bâton et de balle étaient pratiqués par les enfants — et les adultes — plusieurs siècles avant la naissance de Doubleday. Les Égyptiens de l'Antiquité et, plus tard, les Aztèques jouaient à un jeu semblable au baseball. Pour tout dire, les enfants des cavernes se sont mis à jouer au baseball lorsqu'ils ont trouvé une pierre ronde et un long gourdin.

Selon le dictionnaire, le terme « base-ball » est écrit pour la première fois en 1700 par le révérend Thomas Wilson, de Maidstone, dans la région du Kent en Angleterre. Le saint homme sermonnait

les enfants du village qui s'adonnaient à ce jeu le dimanche. À Londres, le jeu s'appelle « feeder » et dans l'ouest de l'Angleterrre, « rounders ». En 1744, le mot apparaît dans un des premiers livres pour enfants, *A Little Pretty Pocket-Book*, qui décrit en vers des jeux populaires. L'une des strophes, intitulée « Base-Ball », commence ainsi :

> *The Ball once struck off,*
> *Away flies the Boy*
> *To the next-destin'd Post,*
> *And then Home with Joy.*

Une illustration montre un « feeder » (lanceur) qui s'apprête à exécuter un lancer par le bas, et deux « posts » (buts) avec un garçon debout près de chacun d'eux. Le bâton, plat et plus large à son extrémité, était souvent appelé « club » et le receveur, « scorcher ».

Jusque vers 1845, on retire un joueur en lançant la balle sur lui. Heureusement, plutôt molle, la balle ne laisse pas de trace douloureuse. Plus tard, un lanceur des Knickerbockers de New York, Alexander Cartwright, employé de banque de son métier, aura l'idée du « tag » : le coureur sera retiré

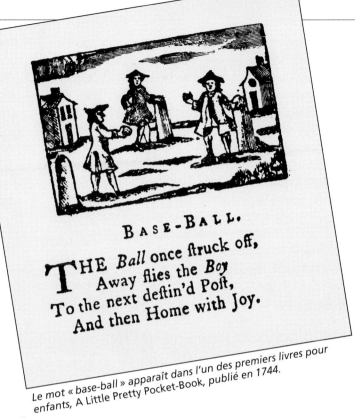

BASE-BALL.

THE *Ball* once ftruck off,
Away flies the *Boy*
To the next deftin'd Poft,
And then Home with Joy.

Le mot « base-ball » apparaît dans l'un des premiers livres pour enfants, A Little Pretty Pocket-Book, publié en 1744.

s'il est touché par la balle tenue par un joueur. En passant, Cartwright a aussi écrit les règles de base du baseball en compagnie de Daniel Adams, le premier inter de l'histoire.

L'introduction du « tag » permet aux équipes d'utiliser une balle dure, qui franchit de plus longues distances. Et c'est ainsi que le baseball deviendra un sport d'adultes.

Au 19e siècle, les losanges poussent comme des champignons en Amérique du Nord. Chaque hameau, chaque village, chaque ville, a son terrain et ses gradins. Chaque école et collège, usine et moulin, poste de police et quincaillerie, église et saloon, a son équipe.

Une idée scandaleuse est alors avancée : puisque le baseball est si populaire, pourquoi les meilleurs joueurs ne seraient-ils pas payés et n'en feraient-ils pas leur gagne-pain ? Les riches gentlemen qui jouent pour le plaisir sont horrifiés : ils craignent que des voyous ne fassent main basse sur leur sport. Les journaux préviennent que ces mercenaires feront du baseball un sport pour parieurs. Quant au clergé, il voit déjà le pays englouti dans le péché.

De fait, les clubs rémunèrent secrètement les joueurs depuis des années. Quelques-uns, les « revolvers », se donnent au plus offrant et passent d'une équipe à l'autre. Au Canada, où fleurissent aussi les clubs, les joueurs américains font partie de la légion étrangère.

En 1869, les Red Stockings de Cincinnati sont la première équipe dont tous les joueurs sont rémunérés. Leur succès est instantané, et ils affichent bientôt 137 victoires contre 4 défaites ! Leurs victimes saisissent le message : elles sillonnent le pays à leur tour pour embaucher — et payer — les meilleures recrues. Le baseball professionnel est né. Les journaux et le clergé avaient raison : pots-de-vin et paris sont la loi. Le baseball a des problèmes. Le baseball a besoin de règlements.

Désireux de faire le ménage, les huit puissants propriétaires des équipes de Philadelphie, Hartford, Boston, Chicago, Cincinnati, Louisville, Saint Louis et New York forment la Ligue nationale en 1876. Quelques semaines plus tard, la ligue interdit les paris, l'alcool, les matchs du dimanche, le non-respect des contrats, et menace les joueurs malhonnêtes d'expulsion à vie.

Mais l'appétit du pouvoir dévore la jeune ligue. Ainsi, les joueurs ne peuvent quitter l'équipe qui les a embauchés mais cette même équipe peut, elle, les congédier sans crier gare. Ils doivent en outre payer leur uniforme et leurs repas, en plus de subir une substantielle diminution de salaire. Les joueurs sont malheureux.

Les propriétaires des clubs des autres villes rongent aussi leur frein ; les foules remplissent les stades de la Ligue nationale et l'argent y coule à flots. Voulant puiser à leur tour dans cette corne d'abondance, ils créent en 1901 la Ligue américaine. Ce sera le début d'une guerre de deux ans. Territoire, vente des billets, contrats des joueurs, échanges : tout sera prétexte à bataille. En 1903, la Nationale rend les armes. Il y aura deux ligues, de huit clubs chacune. Il en sera ainsi pendant un demi-siècle.

À part un énorme scandale (voir page ci-contre), tout est calme sur le front du baseball. Calme et propre. Propre, le sport du baseball l'est encore aujourd'hui. Par ailleurs, depuis 40 ans, l'industrie du baseball vit des moments troubles.

LE SCANDALE DES BLACK SOX DE CHICAGO

Aux premiers temps du baseball, les joueurs ne sont pas bien rémunérés, et la tentation est forte d'arrondir les fins de mois. En 1919, quelques joueurs succombent, et le baseball vient près de disparaître à tout jamais. Les White Sox de Chicago, l'une des grandes équipes de l'histoire, affrontent les Reds de Cincinnati en Série mondiale, une série cinq de neuf. Les Sox sont très largement favoris jusqu'à ce que le lanceur Eddie Cicotte s'entende avec des parieurs locaux. La série sera truquée et les Reds l'emporteront cinq matchs à trois. Par dérision, on parlera dorénavant du scandale des Black Sox.

Rumeurs et accusations fusent et, l'année suivante, un grand jury fait enquête. Cicotte vend la mèche et identifie les complices : lui-même, Eddie Cicotte, le lanceur Lefty Williams, Buck Weaver, Swede Risberg, Chick Gandil, Happy Felsch, Fred McMullin et l'as frappeur Shoeless Joe Jackson. Les admirateurs de Jackson refusent de croire en sa culpabilité et ils ont peut-être raison puisque Joe avait affiché une moyenne supérieure à ,300 durant la Série mondiale.

Le président du jury s'appelle Kenesaw Mountain Landis, un juge aux cheveux blancs, sévère et droit. Les joueurs sont acquittés l'année suivante (leurs confessions ont mystérieusement disparu) mais Landis, devenu entretemps le premier commissaire du baseball, les bannit à vie.

Shoeless Joe, un merveilleux frappeur, est radié du champ des rêves. Mais par un retour étrange du destin, un homme qui se plaît à copier l'élan de son idole Jackson fera oublier le scandale des Black Sox et relancera le baseball sur le sentier de la gloire : Babe Ruth.

DRÔLES DE PRÉNOMS, M. LE COMMISSAIRE !

Le 27 juin 1864, un chirurgien de l'armée de l'Union, Abraham Landis, est grièvement blessé à une jambe à la bataille de Kennesaw Mountain en Géorgie. Il jure que s'il garde sa jambe, il donnera à son premier fils le nom de l'endroit où il guérira de sa blessure. Sa jambe ayant été épargnée, il baptisera son aîné, pour le plus grand malheur de ce dernier, Kenesaw (mais, erronément, avec un seul « n ») Mountain. Encore chanceux que papa n'ait pas été blessé à Popocatepetl...

Les White Sox de Chicago de 1917; à droite, Shoeless Joe Jackson.

LA FIÈVRE DE L'EXPANSION

La fièvre de l'expansion a frappé le baseball dans les années 60 et n'a jamais tombé depuis. Il y a toujours deux ligues aujourd'hui mais chacune comprend trois divisions : Est et Centrale, avec cinq équipes chacune, et Ouest, avec quatre équipes, pour un total de 28 équipes (d'autres se seront peut-être ajoutées quand vous lirez ces lignes). Deux de ces équipes, les Expos de Montréal et les Blue Jays de Toronto, ne sont même pas américaines,

de quoi faire se retourner dans son cercueil le très patriotique Al Spalding...

Pour les joueurs, l'expansion est une bonne occasion. Ils en profitent pour créer une association solide qui augmente leur influence hors du terrain. Aujourd'hui, ils ont leur mot à dire sur le choix de leur équipe et la négociation de leurs salaires, qui sont considérables.

Mais les salaires ne sont que menu fretin en regard de ce que les équipes touchent en droits de télédiffusion. Il n'y a pas si longtemps, CBS a versé 1 000 000 000 $ sur quatre ans pour acquérir les droits de télédiffusion des matchs des ligues majeures. Dans des grandes villes comme New York, Chicago et Toronto, où plus de gens voient les matchs — et, par conséquent, les messages publicitaires —, les clubs touchent plus en droits de télédiffusion que dans des villes moins importantes comme Seattle ou Cleveland. Ainsi, les clubs des grands marchés s'enrichissent et peuvent embaucher des joueurs d'élite tandis que les équipes des petits marchés s'appauvrissent et risquent de disparaître.

LES NOIR

Un dimanche de 1797, le constable de Fayetteville, une petite ville de la Caroline du Sud, reçoit l'ordre de donner 15 coups de fouet aux Noirs surpris en train de jouer au baseball. Cette attitude perdurera pendant 150 ans. Durant la décennie 1880, 35 Noirs accèdent aux ligues majeures mais aucun n'y restera longtemps. De rares joueurs blancs leur font bon accueil mais la plupart, quand ils ne quittent pas tout bonnement le terrain, aiguisent leurs crampons ou lancent la balle à la tête des frappeurs noirs.

Trop souvent, le stade ressemble à un champ de bataille. Les spectateurs blancs, à l'écart des Noirs, ne se conduisent pas plus poliment que les joueurs. Les insultes fusent, ainsi que les menaces de lynchage. En 1890, les seuls Noirs encore sur les terrains des ligues majeures y jouent les mascottes ou les clowns. En dépit de la Guerre civile, de l'émancipation et d'Abraham Lincoln, les joueurs noirs restent interdits de cité.

Ils n'ont d'autre choix que de se débrouiller seuls. Plusieurs équipes noires battent la campagne, prêtes à affronter — et le plus souvent à battre — leurs adversaires du moment. Ils divertissent aussi les foules, comme les All-American Black Tourists avec leurs hauts-de-forme, leurs tenues de gala et leurs parapluies en soie, et les Page Fence Giants, qui arrivent en ville à bicyclette. Mais cette façade comique cache d'immenses talents. Le receveur Josh Gibson, auteur de 800 circuits, a une fois cogné la balle si haut et si loin qu'on ne l'a jamais revue. L'inter John « Pop » Lloyd, décrit par un journaliste blanc comme le meilleur baseballeur de l'histoire, a maintenu une moyenne de ,564 à l'âge de 44 ans. Et Smokey Joe Williams, un lanceur aux balles de feu, a déjà retiré 27 frappeurs sur trois prises en 12 manches.

ET LE BASEBALL

La première équipe professionnelle noire, les Cuban Giants de Long Island, est fondée en 1885. Plusieurs équipes s'ajoutent bientôt, ce qui donne naissance en 1920 à la Negro National League et à trois autres ligues noires dans la même décennie. Populaires et rentables pendant un temps, elles déclinent pendant la Grande Dépression et la Deuxième Guerre mondiale et disparaissent peu après l'entrée en scène de Jackie Robinson à Ebbets Field en compagnie de ses huit coéquipiers blancs.

Qui fut le premier Noir dans le baseball majeur? Vous avez dit Jackie Robinson? Eh bien, non. Le 1er mai 1884, 63 ans avant que Robinson n'endosse l'uniforme des Dodgers de Brooklyn, Moses Fleetwood Walker (photo ci-dessus) est accroupi derrière le marbre à Toledo dans l'Ohio. Fils de médecin et athlète émérite à l'université, Fleet Walker est repêché par Toledo, une équipe de l'Association américaine, une ligue majeure des débuts. Sans masque ni gant ni plastron, Fleet est souvent blessé mais une fracture à une côte ne l'empêche pas de frapper ,263. Toutefois, sa carrière dans les majeures est courte: quelques années plus tard, tous les Noirs seront bannis.

Les Monarchs de Kansas City en 1945

9

2e MANCHE

L'ÉQUIPEMENT

LA BALLE

Au commencement était la balle. Pas de balle, pas de jeux de balle.

Dans les jeux rudimentaires des débuts, la balle est molle et vide en son centre. Personne ne s'en plaint puisque l'on retire alors les coureurs en lançant la balle sur eux !

Le même type de balle molle est utilisé jusqu'à ce que Cartwright introduise le règlement du « tag » en 1845 ; le coureur est retiré s'il est touché par la balle tenue — et non lancée — par un adversaire. Ainsi, la balle peut maintenant être dure.

Mais quelle sera sa grosseur ? Sa pesanteur ? Et de quels matériaux sera-t-elle faite ? Un modèle ancien, avec un noyau de caoutchouc fondu, mesure 21,5 cm de circonférence, l'équivalent d'une pomme de moyenne grosseur, mais ne pèse que 85 grammes. Le tableau d'affichage indique souvent : Locaux 127, Visiteurs 83 ! Une balle plus grosse et plus lourde (28 cm de circonférence et 170 grammes) ne donne pas les résultats escomptés : son élasticité est insuffisante.

Finalement, en 1872, les responsables des règlements prennent une décision : une balle de baseball, pour être officielle, pèsera entre 141 et 148 grammes et aura une circonférence de 22,8 à 23,5 cm.

Il en est encore ainsi. Albert Goodwill Spalding, des Red Stockings de Boston en 1872, Denton True « Cy » (pour « Cyclone ») Young, des Pilgrims de Boston, 30 ans plus tard, et Roger « Rocket » Clemens, des Red Sox de Boston, 90 ans plus tard, utiliseront tous trois une balle semblable par sa grosseur et son poids.

Cependant, l'intérieur de la balle changera au fil des ans. De 1880 à 1910, c'est l'ère de la balle morte, qui contient très peu de caoutchouc et beaucoup de laine. La balle morte favorise l'amorti, le court-et-frappe et le vol de but. Les circuits sont rarissimes. Les White Sox de Chicago, champions de l'Américaine en 1906, n'en frappent que six tout au long de la saison !

En 1910, George Reach invente la balle au noyau de liège entouré d'une couche de caoutchouc. La balle morte est... morte et l'usine d'Al Spalding fonctionne à plein régime. En deux ans, le nombre de coups de circuit aura doublé.

Aujourd'hui, Rawlings, qui a succédé à Spalding en 1973, fabrique toutes les balles des ligues majeures. Les matériaux sont manufacturés aux États-Unis mais la dernière étape, la couture, est faite au Costa Rica. Voici la recette. Recouvrir un noyau de liège de 2 couches de caoutchouc. Enrouler le tout avec 111 mètres de fil de laine gris-bleu , 41 mètres de fil de laine blanc, 48,5 mètres de

fil de laine gris-bleu et 137 mètres de fil de coton fin. Recouvrir de colle de caoutchouc. Envelopper dans une peau de vache taillée en deux morceaux. Coudre à la main avec 108 points de coton rouge.

Comme dans toute bonne recette, il y a un ingrédient secret : la boue. Pas n'importe quelle boue mais la boue de Lena Blackburne ! Lena, Russell de son véritable prénom, n'excelle pas comme entraîneur-chef (99 victoires, 133 défaites avec les White Sox de Chicago en 1928 et 1929) mais il est futé en affaires. Il trouve une boue de qualité près de chez lui au New Jersey et convainc les patrons du baseball d'en acheter. Depuis, des hommes tenus au secret remontent la rivière Delaware jusqu'au gisement spécial où, durant la nuit, ils ramassent de

points en coton

noyau de liège

caoutchouc

fil de laine

enveloppe en peau de vache

fil de coton

Cousue à la main, la balle comprend 108 points.

la boue. Celle-ci est tamisée, mise en boîtes et expédiée à toutes les équipes des ligues majeures. Avant un match, l'arbitre frotte environ 12 douzaines de balles avec la boue de Lena. La balle blanche prend une teinte sombre qui en réduit l'éclat, et le grain de la peau prend du relief, ce qui favorise une meilleure prise. Comme les 28 équipes du baseball majeur utilisent environ 18 000 balles chacune par saison, on peut dire qu'avec sa boue à 75 $ la boîte Lena Blackburne a fait une affaire en or.

Lancers inauguraux

À l'ouverture de la saison 1993, les trois membres de la première famille des États-Unis ont lancé la première balle dans trois matchs différents : le président Bill Clinton à Baltimore, sa femme Hillary au Wrigley Field de Chicago, domicile de ses Cubs chéris, et leur fille Chelsea à Dayton en Ohio, où évolue la filiale AAA des Cubs.

Une balle de 200 000 $?

Le 30 septembre 1927, Herb Siegel, 14 ans, est assis dans les gradins du champ droit au Yankee Stadium. Il vénère Babe Ruth qui en 1921 a établi un record grâce à 59 circuits. Avec seulement deux matchs à jouer dans la saison, Ruth a égalé sa marque. La brisera-t-il ?

Cet après-midi-là, à sa dernière présence au bâton, le Babe frappe une courbe à l'intérieur par-dessus la clôture du champ droit, à 3 mètres à l'intérieur de la ligne de démarcation et à 1,5 mètre du petit Herb. Des dizaines de spectateurs se ruent vers la balle mais Herb l'attrape sous un banc. Ruth lui offre 5 $ et une balle neuve mais Herb refuse le marché.

À sa mort, Herb laisse la balle en héritage à son fils George. Quinze ans plus tard, le 2 mai 1992, lors d'une vente aux enchères, on offre 200 000 $ pour la balle.

Le problème, c'est que le 1er octobre 1927 le New York Times écrivait que la fameuse balle avait été attrapée par Joe Forner, un New-Yorkais de 40 ans. Qui dit vrai ?

LE BÂTON

Dan Brouthers
— 1880

Le bâton moderne

Au début, le bâton est bien différent de ce qu'il est aujourd'hui. En bois de cèdre, il est grossièrement équarri à la hache et au couteau.

Le cèdre est léger et facile à travailler. Il sent bon, fait d'excellents bardeaux et canoës, en plus de regorger de vitamine C. (Il guérit du scorbut les marins de l'explorateur Jacques Cartier en 1535. Après avoir fait bouillir les feuilles et l'écorce du cèdre, ils boivent la tisane et s'enduisent les jointures de marc.) Mais le cèdre est fragile : un choc violent le fait éclater. Avec l'avènement d'une balle plus dure, les joueurs optent pour l'hickory, un bois résistant et lourd dont on se sert alors comme combustible et pour fabriquer les cerceaux de baril et les manches de hache. À ses débuts, Babe Ruth utilise parfois un bâton en hickory de 1,59 kilo. Il n'y a pas de limite de poids pour le bâton mais sa longueur — 107 cm — n'a pas varié depuis 1868. La largeur, dans sa partie la plus épaisse, a été fixée à 7 cm en 1895.

Plusieurs joueurs trouvent l'hickory trop lourd, et c'est ainsi que le frêne blanc, qui pousse dans le nord-est des États-Unis, en Nouvelle-Écosse et

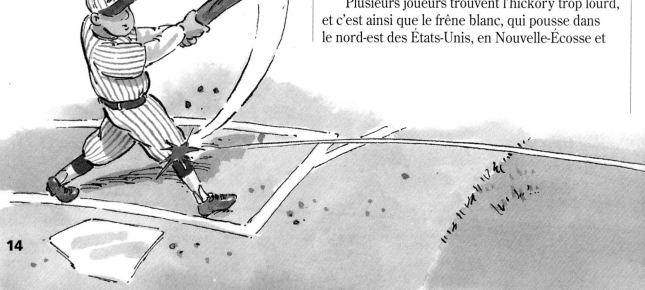

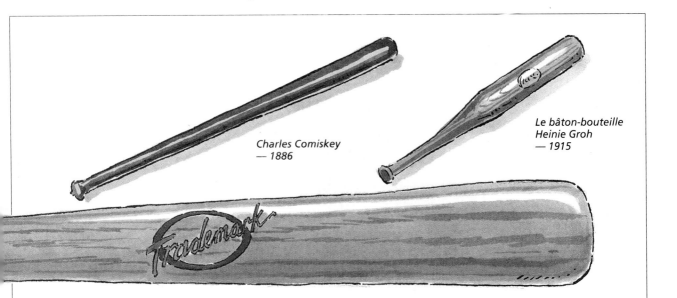

Charles Comiskey
— 1886

Le bâton-bouteille
Heinie Groh
— 1915

dans le sud du Québec, devient le bois de prédilection. Le frêne est un bois dur, résistant et léger, idéal pour les skis, les rames, les raquettes à neige et de tennis, ainsi que les bâtons de baseball.

Le fabricant de bâtons le plus célèbre est Hillerich & Bradsby qui produit le « Louisville Slugger ». Tout commence en 1884 quand Pete Browning, un voltigeur de l'Eclipse de Louisville, demande à un menuisier de 18 ans, John « Bud » Hillerich, de lui faire un bâton. L'année suivante, la moyenne offensive de Pete grimpe à ,362. Le mot se répand et les commandes affluent. Aujourd'hui établi à Jeffersonville, près de Louisville, H & B produit 3 000 000 de « Sluggers » par année dont ceux de Larry Walker.

D'autres compagnies fabriquent des bâtons. La Worth Company fabrique le «Tennessee Thumper » et Rawlings possède une usine géante dans les Adirondacks (Etat de New York), où elle fabrique les bâtons de stars tels Darryl Strawberry, Moises Alou et Marquis Grissom. Les bâtons Cooper, les préférés de Wil Cordero, Jose Canseco et Robbie Alomar, sont fabriqués à Hespeler, une petite ville près de Guelph en Ontario.

Les joueurs font parfois des trucs bizarres avec leurs bâtons. Frankie Frisch, un avant-champ des Giants et des Cardinals dans les années 20 et 30, suspendait les siens dans une grange comme une rangée de saucissons. Ty Cobb, un voltigeur de Detroit (1905-1928) qui n'a jamais frappé moins de ,300, frottait son bâton avec le fémur d'une vache, tandis que le deuxième-but Eddie Collins enterrait les siens sous un tas de fumier, soi-disant pour les garder vivants. À propos, sa moyenne offensive en carrière a été de ,333.

FAIS-MOI UN BÂTON...

D'abord, trouver un frêne d'une cinquantaine d'années. Le couper et l'apporter à l'usine.

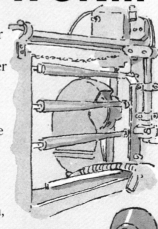

Enlever l'écorce. Couper l'arbre et l'équarrir jusqu'à ce que l'on ait une pile de cylindres longs de 102 cm et d'une circonférence de 7,6 cm.

Sécher les billes dans un four géant pendant environ un mois. Ou les faire sécher sans four, comme le fait H & B, mais alors il faut compter quelques années.

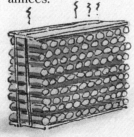

Mettre les billes une par une dans un tour pour les couper et leur donner la forme exacte désirée par le joueur. On aura pris soin de conserver un modèle (c'est comme faire faire le double d'une clé chez le serrurier).

Ensuite, poncer le bâton, le passer au feu pour durcir le bois et, si le joueur le désire, appliquer une peinture ou un vernis, noir ou brun car aucune autre couleur n'est permise.

Dernière étape : estampiller le nom du fabricant. Sauf exception, la marque de fabrique doit apparaître là où le grain est le plus large et, donc, où le bois est le plus fragile. Pourquoi recommande-t-on aux enfants de tourner la marque de fabrique vers le ciel ? Pour frapper la balle plus fort et éviter de fracasser le bâton, justement.

2 ou 2 000 ?

Le baseballeur professionnel utilise en moyenne 72 bâtons en une saison. Une année, Babe Ruth en a utilisé 170 — il faut dire qu'il en offrait en cadeaux — mais Lou Gehrig, lui aussi membre du Temple de la renommée, n'en consommait qu'une demi-douzaine par saison. Bill Terry, des Giants de New York, n'a eu besoin que de deux bâtons pour gagner le championnat des frappeurs en 1930 (moyenne de ,401). De son côté, le premier-but Orlando Cepeda jetait son bâton après chaque coup sûr. Il en a claqué 2 351 en carrière !

Quand le bâton devient une arme illégale...

Il est interdit de trafiquer les bâtons mais certains frappeurs n'en tiennent pas compte. Le truc du liège est le plus connu. Après avoir percé l'extrémité du bâton, on remplit la cavité de liège et l'on masque le tout avec du mastic et du plastique. Le liège allège le bâton. Plus celui-ci est léger, plus l'élan est rapide. Billy Hatcher, des Astros, a été pris en flagrant délit en 1987. Son bâton s'étant brisé, des débris de liège ont volé sur le marbre et l'arbitre. Hatcher a été expulsé. En juillet 1994, Albert Belle, un redoutable cogneur des Indians de Cleveland, a été suspendu pendant sept matchs pour avoir commis le péché du liège. Après la suspension, Albert a frappé 10 circuits à ses 17 derniers matchs de la saison, le tout avec un bâton tout à fait légal !

Mais l'affaire la plus célèbre concerne George Brett, ex-Royal de Kansas City, triple champion frappeur de l'Américaine. George avait l'habitude d'enduire son bâton de résine de pin pour avoir une meilleure prise. Le 24 juillet 1983, les Yankees mènent 4-3, et Brett se présente au marbre en première moitié de la 9e manche avec deux retraits et un coureur sur les sentiers. Il claque un circuit mais le gérant des Yankees, Billy Martin, proteste, alléguant que Brett a appliqué la résine au-delà de la limite permise de 46 cm à partir du petit bout du manche. L'arbitre donne raison à Martin et refuse le circuit. George pique une sainte colère, les Royals déposent un protêt et le match est interrompu. Après discussions au sommet, George se voit finalement crédité d'un circuit, une décision qui fait encore rager les arbitres. Vingt-cinq jours plus tard, on continuera la partie. Résultat final : Royals 5, Yankees 4.

TENUE DE COMBAT

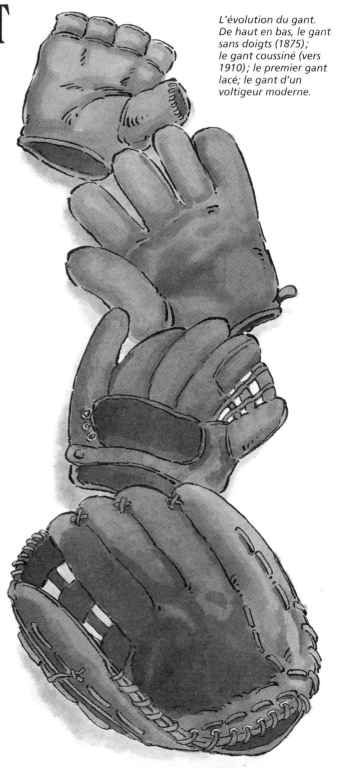

L'évolution du gant. De haut en bas, le gant sans doigts (1875); le gant coussiné (vers 1910); le premier gant lacé; le gant d'un voltigeur moderne.

Au 19ᵉ siècle, les baseballeurs ne sont pas protégés par un gant ni un masque. Jouer à main nue et à visage découvert est la règle, ce qui occasionne fractures, foulures et contusions diverses. En 1877, Al Spalding, premier-but des Red Stockings de Boston, enfile des gants en daim, ce qui n'est pas très utile. En 1883, l'inter de Providence Art Irwin, Torontois de naissance, se fracture deux doigts. Pour les protéger, il demande à un gantier de lui confectionner un gant coussiné, plus grand que nécessaire, en cousant ensemble l'annulaire et l'auriculaire. C'est la fin du baseball à main nue.

En 1920, un lanceur des Cardinals, Bill Doak, trouve un truc pour attraper la balle plus facilement. En laçant une poche entre le pouce et l'index, il protège sa main mais il peut aussi coincer la balle plus efficacement.

Les gants existent en tailles, couleurs et styles différents mais certaines règles s'appliquent. Le gant du lanceur doit être d'une seule couleur mais ni blanc ni gris pour rendre la balle bien visible. La circonférence du gant du receveur ne peut dépasser 96,5 cm. Le gant du premier-but peut être un peu plus ample que ceux des autres joueurs d'avant-champ. Ceux-ci portent un gant plus petit que celui des voltigeurs pour se débarrasser de la balle plus vite. Le gant du deuxième-but est le plus petit de tous.

Le casque protecteur, d'abord mis à l'essai au début des années 1900 et ensuite en 1941 par les Dodgers, ne fait pourtant l'objet d'un règlement que 51 ans après la mort d'un joueur sur le terrain, la seule de l'histoire du baseball. Le 16 août 1920, l'inter de Cleveland Ray Chapman affronte le Yankee Carl Mays. Mays déteste les frappeurs qui, comme Chapman, se collent sur le marbre. Le troisième lancer de Mays est haut et à l'intérieur. Un bruit sinistre se fait entendre au Polo Grounds. La balle bondit vers Mays qui la relaie au premier-but tandis que Chapman s'effondre dans les bras du receveur Muddy Ruel. Atteint à la tête, il mourra le lendemain matin. Il a 29 ans.

Jimmy Piersall, des Indians, est peut-être le premier à porter le casque avec protège-oreille, aujourd'hui obligatoire. Après avoir frappé deux circuits dans un match contre Detroit en 1960, il se met à faire le pitre, ce qui fait rugir le lanceur des Tigers. Voyant que sa prochaine présence au marbre risque littéralement de lui faire perdre la tête, il emprunte le casque avec protège-oreille d'un joueur des Petites Ligues. Une sage décision qui permit peut-être à Jimmy Piersall de prolonger sa carrière de clown.

Fausses balles

La balle qui a frappé Ray Chapman — c'était à la 5e manche, alors que les ombres s'allongeaient sur le terrain — était éraflée et sale, ce qui a peut-être gêné sa vision. Depuis, les arbitres n'hésitent pas à remplacer les balles souillées.

Un rabat, deux rabats...

Le 18 août 1967, Tony Conigliaro, un puissant frappeur des Red Sox de Boston, est atteint en plein visage par un tir de Jack Hamilton, des Angels. Résultat : mâchoire fracturée, vision à jamais endommagée, carrière terminée. L'accident donne naissance au règlement 1.16 qui rend obligatoire le protège-oreille. La plupart des casques n'ont qu'un rabat qui protège le côté de la tête faisant face au lanceur. Les frappeurs ambidextres ont habituellement deux casques bien que quelques-uns possèdent un modèle à deux rabats. Derrière le marbre, les receveurs portent le casque avec le rabat à l'arrière.

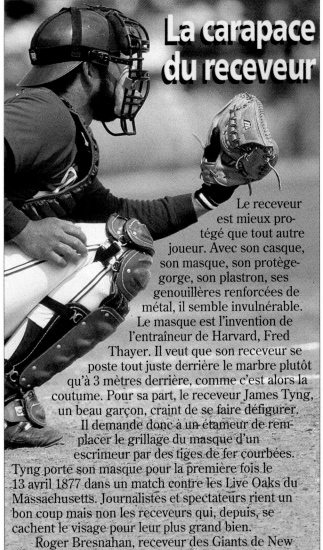

La carapace du receveur

Le receveur est mieux protégé que tout autre joueur. Avec son casque, son masque, son protège-gorge, son plastron, ses genouillères renforcées de métal, il semble invulnérable. Le masque est l'invention de l'entraîneur de Harvard, Fred Thayer. Il veut que son receveur se poste tout juste derrière le marbre plutôt qu'à 3 mètres derrière, comme c'est alors la coutume. Pour sa part, le receveur James Tyng, un beau garçon, craint de se faire défigurer. Il demande donc à un étameur de remplacer le grillage du masque d'un escrimeur par des tiges de fer courbées. Tyng porte son masque pour la première fois le 13 avril 1877 dans un match contre les Live Oaks du Massachusetts. Journalistes et spectateurs rient un bon coup mais non les receveurs qui, depuis, se cachent le visage pour leur plus grand bien.

Roger Bresnahan, receveur des Giants de New York, est l'inventeur des genouillères. Il les porte pour la première fois le 24 septembre 1908. Alors en cuir matelassé, les genouillères modernes sont faites de plastique moulé et renforcées par de minces tiges de métal. Pour prévenir le cramponnement, des rabats protègent les genoux et le dessus des pieds.

Ces pièces d'équipement étaient alors appelées, par plusieurs, « les outils de l'ignorance », signifiant ainsi que « seul un imbécile voudrait être receveur ». Cette phrase provient peut-être du receveur des Yankees Herold Dominic «Muddy» Ruel, un avocat davantage amoureux des losanges que des tribunaux, et qui avait vu mourir dans ses bras Ray Chapman atteint d'un lancer.

LE PRESTIGE DE L'UNIFORME

Voici que se présente au bâton l'imposant Kirby Puckett, au corps en forme de quille. Imagine maintenant qu'il porte des chaussures en toile, des pantalons bleu marine avec une ceinture d'étoffe tissée, une chemise blanche à manches longues et à col raide, une cravate en soie et un chapeau de paille.

Surpris ? C'est pourtant le premier de tous les uniformes, celui des Knickerbockers de New York en 1849. Ces messieurs, vois-tu, sont des gentlemen. Ils ne se salissent pas, ils ne

De la cravate de soie au pantalon extensible

— 1850

crachent pas, ils ne sont même pas rémunérés.

Vingt ans plus tard, les Red Stockings de Cincinnati enfilent des knickers et de longues chaussettes rouge vif avec lesquels ils gagneront 60 matchs d'affilée. Du coup, toutes les équipes d'Amérique du Nord commandent knickers et chaussettes.

Peu à peu, le col raide et les manches longues disparaissent tandis que le chapeau de paille cède la place à une casquette semblable à celle d'un employé du chemin de fer. Vers 1900, l'uniforme ressemble à celui d'aujourd'hui, sauf qu'au lieu de coûter 125 $ et d'être fait de polyester avec double rang d'étoffe, il vaut 5 $ et est fait de laine. En 1910, un garçon peut acheter une tenue de baseball pour 98 cents.

Aux assises d'hiver de 1881, les propriétaires décrètent que chaque équipe portera des chaussettes identifiées par une couleur. En 1882, chaque joueur sur le terrain porte un uniforme d'une couleur différente : bleu pâle pour le lanceur, rouge et blanc pour le premier-but, marron pour l'inter, orange et bleu pour le deuxième-but, bleu et blanc pour le troisième-but. Les voltigeurs sont en blanc, en gris et en rayures rouges et noires. Le receveur est rutilant dans son uniforme rouge foncé. Les substituts portent du noir et du brun. Visuellement, c'est un désastre... Trois mois plus tard, cet aveuglant système sera abandonné.

Mais couleurs et baseball feront toujours bon ménage. En 1901, les Orioles de Baltimore portent une casquette rose, des chemises noires avec un énorme « O » jaune sur le cœur, des knickers noirs très bouffants avec une ceinture jaune et une veste courte ornée de deux rangées de boutons de nacre.

Par la suite, les culottes courtes sont

— 1870

— 1890

Uniformes de la Negro League — vers 1920

à l'honneur pour un temps mais les joueurs se cacheront bientôt les jambes, par modestie et pour éviter les éraflures.

Quant aux pieds, ils sont alors recouverts de deux paires de chaussettes : l'une en coton blanc, les chaussettes sanitaires, et l'autre en coton de couleur, les chaussettes étriers, ainsi appelées parce qu'un élastique passe sous le pied.

Sans Napoléon « Nap » Lajoie, la tradition des doubles chaussettes n'aurait peut-être pas vu le jour. Lajoie, entraîneur et deuxième-but de Cleveland dans les années 1900, avait donné son nom à son équipe, les Naps, qui plus tard seront rebaptisés Indians. Lajoie excelle en attaque, comme en témoignent sa moyenne offensive de ,426 pour une saison, le record de la Ligue américaine, et sa moyenne à vie de ,338. Le bonhomme a aussi volé 381 buts.

Pourtant, sa carrière vient près d'être écourtée en 1905. Un jour, Napoléon est cramponné par un rival, un geste à odeur de vengeance puisque les Naps ont l'habitude d'aiguiser leurs crampons au vu et au su des équipes adverses avant les matchs importants. Toujours est-il que la teinture bleue de la chaussette de Lajoie s'infiltre dans la blessure, ce qui provoque un empoisonnement sanguin. À compter de ce jour, Nap ne portera plus que des chaussettes blanches sous les bleues. La chaussette étrier est née.

Tenues de baseball

— *1930-1950*

— *l'uniforme moderne*

Mack lave plus blanc...

Les baseballeurs portent l'uniforme blanc à domicile et, sauf exception, l'uniforme gris à l'étranger. Comment ça ? C'est la faute, si l'on peut dire, à Cornelius McGillicuddy, « Connie Mack » pour les intimes, gérant des Athletics de Philadelphie qui, de 1901 à 1950, gagneront huit championnats de l'Américaine et cinq titres de la Série mondiale. Monsieur Mack, comme tout le monde l'appelle, y compris sa famille, remarque que ses joueurs se défoncent à domicile, où ils souillent leurs uniformes, tandis qu'à l'étranger ils ont tendance à se la couler douce. Il se dit que ses gars ne veulent pas salir leurs beaux uniformes blancs parce qu'il est plus compliqué de les laver loin de la maison. Il commandera donc des uniformes gris et, à leur voyage suivant, ses joueurs remporteront six victoires consécutives.

Le jeu des numéros

Devant l'échec du système d'identification par couleurs, les cerveaux du baseball décident de recourir aux numéros, au grand mécontentement des joueurs qui ne veulent pas passer pour des prisonniers. En 1929, pourtant, le Yankee Babe Ruth appose le numéro 3 sur son dos et Lou Gehrig, le numéro 4, ces numéros représentant leur rang dans le rôle des frappeurs. Aujourd'hui, les numéros sont obligatoires en vertu du règlement 1.11A. Les baseballeurs sont souvent libres de choisir le leur. Les numéros à partir de 50 sont donnés aux recrues du camp d'entraînement qui s'en débarrassent dès leur accession aux ligues majeures. Le lanceur Juan Guzman, des Blue Jays de Toronto, a cependant gardé le numéro 66, estimant qu'il l'avait aidé à faire le saut avec l'équipe. Les artistes

de la balle papillon, comme Tom Candiotti, Charlie Hough et Tim Wakefield, semblent avoir un faible pour le numéro 49. C'est leur façon de rendre hommage au grand numéro 49 Wilbur Wood qui, grâce à sa balle papillon, a pris part à 88 matchs en 1968 et maintenu une moyenne de points mérités de 1,87.

Brian McRae, voltigeur de centre des Royals de Kansas City, voulait le numéro 11 qu'avait porté son père, Hal McRae. Un coéquipier arborant déjà ce numéro, Brian opta pour le 56 (5+6 =11). Quant au voltigeur Carlos May, né un 17 mai, il a choisi le numéro 17, si bien qu'on pouvait lire sur son dos May 17.

Superstitions...

Roger Craig lançait pour les Mets de New York de 1962, probablement la pire équipe de l'histoire. Après avoir perdu 15 matchs de suite, il voulut défier le destin en optant pour le numéro 13. Il perdit la partie suivante 15-2, une différence de 13 points...

En 1990, les Red Sox de Boston, pour secouer une profonde léthargie, s'adonnèrent à une parodie de vaudou. Assis autour de 69 bougies, de serpents et d'araignées de pacotille, de deux chats noirs, d'un coq et d'un maillot numéroté 13, les joueurs se mirent à déclamer des phrases sans queue ni tête. Ils perdirent aussi le match suivant...

UN FRAPPEUR MINIATURE

Bill Veeck était réputé pour ses coups publicitaires ; c'est lui qui a ajouté les noms des joueurs à leurs numéros. Alors à la barre des Browns de Saint Louis, il engage un joueur de 26 ans, un certain Eddie Gaedel, qui mesure 109 cm ! Compte tenu de sa position au bâton, la zone des prises d'Eddie n'est que de 3,8 cm. Eddie regarde quatre lancers passer trop haut et trottine vers le premier but. Son numéro ? 1/8...

3e MANCHE AU STADE

DES BIJOUX DE STADES...

Reportons-nous au 15 mai 1862, jour d'ouverture du premier vrai stade de baseball. À Brooklyn, quelques milliers de fans déboursent 10 cents pour s'asseoir sur des planches rugueuses sous un soleil éclatant. Autour du terrain, des barrières découragent les intrus.

L'avant-champ a des traits familiers. Il y a le losange, les trois buts et le marbre à 90 pieds (27,4 mètres) l'un de l'autre, le rectangle du frappeur, les lignes de démarcation, le grillage arrière. Mais le lanceur se trouve à 45 pieds seulement (13,7 mètres) du frappeur et le receveur se tient à environ 3 mètres derrière le frappeur. Le marbre est une dalle carrée de marbre blanc, les buts sont des coussins remplis de sable et l'enclos d'exercice est une zone ceinturée d'une corde où prennent place, debout, les spectateurs n'ayant pu avoir un siège.

Par la suite, les règlements seront définitivement modifiés. Le lanceur se tiendra à 60 pieds 6 pouces (18,4 mètres) du frappeur, un pied sur une plaque de caoutchouc et debout sur un monticule à 10 pouces (26 cm) au-dessus du niveau du terrain. Le receveur sera accroupi tout juste derrière le frappeur, le marbre deviendra un pentagone (cinq côtés) de caoutchouc et les buts, de 15 pouces (38 cm), seront des carrés de toile remplis de caoutchouc mousse et déposés sur une plaque de métal. Dans l'enclos d'exercice, les lanceurs de relève remplaceront les spectateurs.

Pourquoi le lanceur est-il là où il est ?

De 1890 à 1892, Amos Russie retire 985 frappeurs sur trois prises pour les Giants de New York. C'est à cause de lanceurs de cette trempe que le monticule du frappeur est reculé de 15 pieds 6 pouces (4,7 mètres), soit à 60 pieds 6 pouces (18,4 mètres) du frappeur. Par la suite, Amos ne retirera plus que 200 frappeurs par saison et la moyenne offensive de ses adversaires grimpera en flèche.

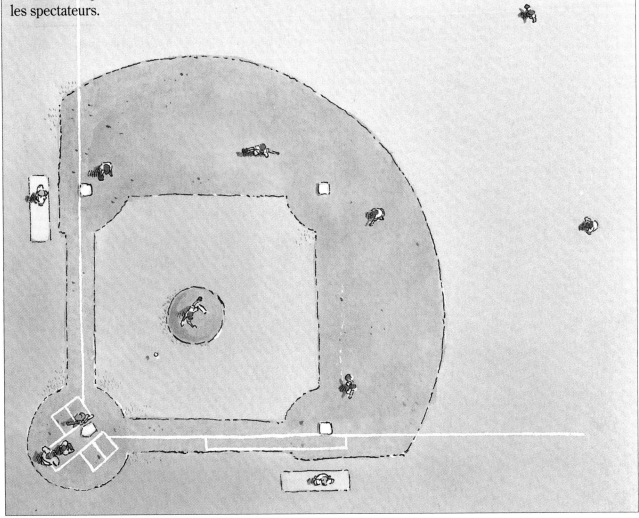

En 1958, les distances minimales du champ extérieur sont consignées dans le livre des règlements : 325 pieds (99 mètres) pour les champs droit et gauche, 400 pieds (121,9 mètres) pour le champ centre. Les vieux stades, comme le Fenway Park de Boston, reçoivent la permission de garder leurs distances plus courtes. Avant 1958, les propriétaires dessinent les parcs de façon à avantager l'équipe locale. Jusqu'à sa restauration en 1976, le Yankee Stadium, inauguré le 18 avril 1923, est surnommé « le stade bâti par Babe Ruth » et pour cause : Babe Ruth, un gaucher, frappe habituellement à droite, si bien que la clôture du champ droit est érigée à 90 mètres seulement du marbre. Le champ centre, à 149 mètres, est surnommé « la vallée de la mort », un endroit où viennent mourir les prétendus circuits de l'ennemi...

Construit en béton et en métal (plusieurs stades en bois ont été détruits par le feu), avec trois niveaux de gradins accrochés à des colonnes immenses, ce qui donne au spectateur un sentiment d'intimité, le Yankee Stadium fait école jusqu'aux années 50. À cette date, d'ingénieux architectes abolissent les colonnes et bâtissent des stades plus grands, capables d'accueillir, outre le baseball, des matchs de football, des spectacles rock, des rencontres d'athlétisme, etc. Il est ainsi possible de voir l'ensemble du terrain mais il faut un télescope pour distinguer qui fait quoi...

L'Astrodome de Houston est le premier stade couvert. Il protège les joueurs de la chaleur, de la pluie et des vents du Texas. Le premier match à l'intérieur est disputé le 9 avril 1965 et donne lieu à de nombreuses plaintes. Le dôme est fait de 4 596 panneaux de plastique transparent et

Le Yankee Stadium, à gauche, et l'Astrodome de Houston, ci-dessous

Montréal, domicile des Expos depuis 1977, se caractérise par l'originalité de son architecture. Y est intégrée une tour de 168 mètres avec un angle d'inclinaison de 45 degrés.

De nos jours, le stade à l'ancienne revient à la mode. Celui des Orioles de Baltimore, Camden Yards, préfigure peut-être l'avenir. Il est situé au cœur du centre-ville, tout près du bar que tenait le père de Babe Ruth. Le grillage arrière est fait de mailles fines, comme dans le bon vieux temps, et les enclos d'exercice sont surélevés, si bien que l'on peut de partout voir les releveurs s'échauffer, et le champ extérieur est plein de coins et recoins. Une sorte de retour vers le futur, quoi...

Le SkyDome de Toronto, ci-dessus, et le Stade olympique de Montréal, à droite

les joueurs perdent la balle dans la lumière éblouissante. On teint les panneaux pour contrer l'éblouissement mais c'est alors la pelouse qui se détériore. Finalement, la pose d'un gazon artificiel réglera le problème et favorisera l'émergence des stades couverts.

Le SkyDome de Toronto possède le seul toit complètement escamotable des ligues majeures. Commandé par ordinateur, le toit s'ouvre et se referme en 20 minutes. Le Stade olympique de

Que la lumière SOIT !

Le premier match en soirée est disputé en 1880. L'éclairage est incertain, et les erreurs plus nombreuses que les points. Il faut attendre 1935 pour que les lumières s'allument à nouveau, cette fois sur le Crosley Field de Cincinnati. Comme la plupart des équipes durant la Grande Dépression, les Reds ont un besoin urgent de spectateurs. Ils espèrent que les matchs en soirée feront accourir les foules. Le Wrigley Field de Chicago est le dernier stade à se munir de projecteurs, le 8 août 1988.

Durant toute cette période, les pannes de courant seront fréquentes. Dans les années 50, lors d'un match Detroit-Washington, une panne se produit au moment où le lanceur entame son élan. Une minute plus tard, la lumière revient. Tous les joueurs sont étendus au sol sauf le lanceur et pour cause : il est le seul à savoir où est la balle...

Aujourd'hui, en dépit d'une facture d'électricité de 500 000 $ par année par équipe, plus de matchs sont disputés en soirée qu'en après-midi, ce qui ne fait pas le bonheur des enfants qui doivent négocier ferme pour regarder jusqu'à la fin les matchs de la Série mondiale.

Du carton...

Il y a longtemps, un type inscrivait les points au crayon sur un morceau de carton fixé à une clôture. Il n'est pas commode alors de lire le pointage mais l'opération est bon marché : 10 cents, y compris le crayon — et les services du marqueur. Par la suite, les tableaux indicateurs grossiront en même temps que les stades mais ce sont encore des humains qui écrivent les chiffres. Il existe encore des tableaux manuels dans des stades d'un autre âge comme Wrigley Field, Fenway Park et Joe Robbie Stadium, domicile des Marlins de la Floride.

... à la vidéo

Après les stades, les tableaux indicateurs sont éclairés à leur tour. Pour 50 000 $ — c'est le prix des premiers tableaux d'affichage électriques — points, coups sûrs et erreurs brillent dans le noir.

Aujourd'hui, la plupart des stades sont pourvus d'un tableau d'affichage électronique géant. Outre le pointage, ils transmettent une foule d'informations : paroles de l'hymne national, reprises (mais pas sur un jeu serré, les arbitres ayant opposé leur veto pour ne pas avoir l'air ridicule), vœux d'anniversaire, demandes en mariage, messages publicitaires et parfois, durant les averses, vieux films sur le baseball. Le SkyDome de Toronto possède le plus gigantesque des écrans géants : le JumboTRON. Actionné par 11 spécialistes, il mesure 33 pieds sur 115 (10 mètres sur 35) et a coûté la rondelette somme de 18 millions de dollars. Celui du Stade olympique, fabriqué par la société suisse Omega Électronique, peut émettre 16 777 216 teintes de couleur, comme à la télévision nord-américaine.

AH! LES BEAUX FEUX D'ARTIFICE !

Le gérant des White Sox, Bill Veeck, était un original. En 1960, il charge le tableau d'affichage de Comiskey Park de soleils, de fusées et de chandelles romaines qui explosent à chaque circuit, très beau jeu ou victoire des White Sox. Les visiteurs détestent ça mais ils sont les seuls. Aujourd'hui, les feux d'artifice rehaussent souvent le spectacle.

Les règlements du terrain

Les règlements du terrain, soit ceux qui s'appliquent à un terrain particulier, sont établis par le club hôte et approuvés par le club visiteur avant le match.

Quelques-uns de ces règlements sont universels. Le coureur avance de deux buts quand la balle est lancée dans les gradins, dans l'abri des joueurs, par-dessus la clôture, ou qu'elle atterrit dans les gradins après avoir été frappée en jeu. Un circuit est alloué si la balle ricoche sur le gant d'un voltigeur ou sur sa tête (comme l'a douloureusement appris Jose Canseco, des Rangers du Texas, en 1993), ou qu'elle atterrit dans les gradins entre les lignes de démarcation sans avoir touché le sol.

D'autres règlements sont particuliers à tel ou tel terrain.

Au Wrigley Field de Chicago, le frappeur obtient un double si la balle se coince ou se perd dans le lierre sur la clôture du champ extérieur. Si un voltigeur tente de la récupérer, le frappeur est libre de courir.

Au SkyDome de Toronto, un règlement similaire s'applique lorsque la balle est coincée derrière les banderoles ou les logos des équipes sur les clôtures.

Au Stade olympique de Montréal, il y a circuit si la balle, frappée en jeu, percute un des haut-parleurs suspendus au toit. Cela est arrivé cinq fois dans l'histoire des Expos, dont deux fois par Moises Alou. À Seattle, deux balles ont frappé un haut-parleur et ne sont jamais retombées. Verdict de l'arbitre : une prise chaque fois.

Bizarrerie n° 1

En 1965, le vice-président américain Hubert Humphrey assiste à un match de la Série mondiale. Sur le terrain, devant lui, se tient un agent des services secrets. Les deux équipes conviennent que toute balle qui frappera l'agent sera en jeu !

Au Fenway Park de Boston, l'échelle à côté du monstre vert, la clôture du champ gauche haute de 11,32 mètres, est en jeu. Jim Lemon, de Washington, en profita un jour pour claquer un circuit à l'intérieur du terrain.

Au Tiger Stadium de Detroit, il fut un temps où le mât de 38 mètres était en jeu sur toute sa hauteur, tout comme à Cleveland la pile de balais et de râteaux des préposés au terrain.

Bizarrerie n° 2

En 1910, au New Jersey, un terrain est traversé par une voie ferrée. Avec trois coureurs sur les sentiers, un frappeur de puissance expédie la balle dans la cheminée d'une locomotive qui passe. Décision de l'arbitre : circuit !

L'ARCHE DE NOÉ ?

De futés préposés

Au Stade olympique de Montréal en 1985, il faut près d'une heure aux préposés pour chasser du terrain des phoques ayant été les vedettes d'un spectacle d'avant-match. Dans l'ancien Exhibition Stadium de Toronto, Dave Winfield, alors un Yankee, lance la balle au préposé. Elle atteint mortellement un goéland qui marche sur la pelouse. Arrêté, Winfield est accusé de cruauté envers les animaux. Plus tard libéré avec excuses, Winfield commande une toile où figure un goéland. L'œuvre s'envolera pour 30 000 $ dans une vente aux enchères. En 1976, des abeilles envahissent le Riverfront Stadium de Cincinnati et essaiment autour du troisième but pendant une demi-heure. Et à Toronto, en 1990, des millions de moucherons descendent par le toit ouvert du SkyDome. Personne n'y voit plus rien, y compris l'arbitre. On ferme le toit, les moucherons se dispersent et la partie continue.

Les préposés au terrain ont plus d'un tour dans leur sac. Dans le nouveau stade de Baltimore, la pelouse de l'avant-champ est longue pour aider l'inter Cal Ripken fils à capter les balles frappées dans sa direction. Au plus fort de la rivalité Dodgers-Giants dans les années 60, les préposés des Giants arrosent le sentier du premier au deuxième but pour ralentir le redoutable voleur de buts Maury Wills. Et au Yankee Stadium, à l'époque où les fans portent la chemise blanche, on descend une étoffe transparente verte au champ centre pour permettre aux frappeurs des Yankees de mieux voir la balle blanche. Quand vient le tour des visiteurs, on lève le rideau pour que les frappeurs ennemis soient éblouis par la blancheur des chemises.

Question : Quelle équipe joue toujours à domicile le jour de l'ouverture de la saison ?
Réponse : Les Reds de Cincinnati, pour souligner qu'ils ont été la toute première équipe professionnelle.

Traitement de canal

Camden Yards, le stade des Orioles de Baltimore, se targue de posséder le PAT, abréviation anglaise de Prescription Athletic Turf. En fait, le PAT est un gazon naturel qui pousse sur un mélange de tourbe et de sable. En sous-sol se trouve un enchevêtrement de canalisations pour l'écoulement de l'eau et l'arrosage de la pelouse. Le PAT est aussi à l'honneur au Mile-High Stadium de Denver, domicile des Rockies du Colorado, et au Fulton County Stadium d'Atlanta, où évoluent les Braves.

Un terrain propre, propre, propre...

Les préposés au terrain du Royals Stadium de Kansas City se ruent vers l'avant-champ après la cinquième manche pour ratisser le monticule et les sentiers. Ils se disent détenteurs du record de vitesse (26 secondes) mais la marque est menacée par les préposés du SkyDome de Toronto qui se proclament les plus rapides au monde et qui exécutent leurs travaux ménagers sur l'air de l'ouverture de l'opéra *Guillaume Tell* de Rossini. Lors du match des Étoiles de 1991, les préposés au terrain du SkyDome arrivèrent en limousine et en tenue de soirée.

4ᵉ MANCHE

LE FRAPPEUR, LE LANCEUR, L'ARBITRE

LE FRAPPEUR

1. Voir la balle.
2. S'élancer.
3. Frapper la balle.
4. Courir.

Facile, n'est-ce pas ? Eh bien, non ! Frapper une petite balle ronde avec un bâton mince et rond n'est pas facile, surtout quand la balle est propulsée à environ 145 km à l'heure. Imagine-toi au marbre. Le tir mettra une demi-seconde pour arriver à ta hauteur. Durant cette demi-seconde, tu dois te concentrer sur la balle, déterminer le genre de lancer, juger si c'est une balle ou une prise et t'élancer ou non. Pas étonnant que même les frappeurs d'élite n'obtiennent en moyenne que trois coups sûrs en dix présences officielles.

Dans les petits pots...

Wee Willie Keeler, l'un des plus grands frappeurs de l'histoire, résumait ainsi son art : « Frappez-la où il n'y a personne. » C'est-à-dire, frappez la balle là où un joueur défensif ne peut l'attraper. Mesurant 1m 60 et pesant 63,5 kilos, Willie ne frappera que 34 circuits en 19 ans mais sa moyenne offensive sera de ,341. En 1897 pour Baltimore, il obtiendra 239 coups sûrs en 129 matchs, une moyenne de ,424, et ce, avec le bâton le plus court jamais utilisé chez les pros, un cure-dents de 77,5 cm !

D'un coup sûr à l'autre

Certains coups sûrs résultent de l'habileté, d'autres, de la chance. Mais plus l'habileté est grande, plus Dame Chance se pointe le nez. Voici une liste de coups sûrs combinant talent et chance.

Le Baltimore Chop
La balle touche le sol près du marbre et bondit par-dessus la tête du lanceur et des joueurs d'avant-champ. Élevé au rang d'un art par Wee Willie Keeler, des Orioles de Baltimore, dans les années 1880, ce coup est maintenant courant sur le gazon arti-ficiel, plus propice aux hauts bonds.

Entrechamp
La balle, bien que mal frappée, atterrit hors de la portée et de l'avant-champ et du champ extérieur. Un lanceur, Jim Brosnan, a dit que le bruit ressemblait à celui d'une tomate percutant un manche à balai. En anglais, plusieurs mots désignent ce genre de coup sûr : « drooper », « looper », « pooper », « plunker », « punker », « bleeder », « stinker », « sucker », « squibber » et « Texas Leaguer », une allusion à l'inexpérience des frappeurs de cette ligue mineure.

Coup sûr avec bâton fracassé
Une balle est frappée avec la partie la plus mince du bâton, qui se fracasse en deux. Quand on a les yeux rivés sur la balle, les débris du bâton peuvent être dangereux. En août 1978, le receveur des Dodgers Steve Yeager, posté dans le cercle d'attente, a vu un éclat de bois lui transpercer la gorge. Le médecin de l'équipe a stoppé l'hémorragie.

Coup sûr tombant
La balle touche subitement le sol à un endroit inattendu, tombant comme un oiseau abattu en plein vol, d'où les appellations anglaises de ce type de coup sûr : « dying quail », « dying seagull », « dying swan ». La situation se produit notamment quand un vent fort souffle vers le marbre.

Coup sûr en flèche
La balle suit une trajectoire droite plutôt qu'arquée. En anglais, quand la trajectoire est basse, on utilise aussi l'expression « clothesline » (corde à linge).

Coup sûr au champ opposé
Certains frappeurs s'élancent un peu trop tôt. Ainsi, un droitier frappera la balle au champ gauche et un gaucher, au champ droit. Mais les joueurs capables de frapper régulièrement la balle en lieu sûr au champ opposé — au champ droit pour un droitier et au champ gauche pour un gaucher — sont très recherchés.

L'AMORTI

En 1866, Dickey Pearce, le minuscule inter des Athletics de Brooklyn, glisse une main le long de son bâton, se tourne carrément vers le lanceur, effleure à peine la balle et s'envole vers le premier but. Dickey vient de frapper le tout premier amorti. Les joueurs d'avant-champ, incrédules, se grattent la tête — et ils se la grattent encore. Parmi les anciens maîtres de l'amorti, mentionnons Wee Willie Keeler, Ty Cobb et Jackie Robinson.

Quand utiliser l'amorti? Quand le gérant le demande. Habituellement, un coureur est posté au premier but et il s'agit de le faire avancer en position de marquer (au deuxième ou au troisième but) même si le frappeur doit se sacrifier. Quand le joueur d'avant-champ se précipite vers la balle, le coureur file vers le but suivant: c'est l'amorti sacrifice. Il y a aussi le jeu suicide. Pour faire marquer un joueur posté au troisième but. Avec le jeu suicide retardé, le coureur attend pour voir si l'amorti est réussi. Avec le jeu suicide proprement dit, le coureur quitte en trombe le troisième but dès que la balle laisse la main du lanceur. Si le frappeur ne touche pas à la balle, le coureur est presque automatiquement retiré.

PARI SUR AMORTI

Le receveur Yogi Berra avait un mal fou à récupérer les amortis lorsqu'il évoluait dans les ligues mineures. Un jour, son gérant lui parie un steak qu'il ne pourra retirer un seul coureur au premier but de toute la partie. Yogi montre sa maladresse habituelle. Plus tard, à son tour au marbre, il frappe un amorti, ramasse la balle et la lance au premier but. Il s'est retiré lui-même mais a gagné son pari...

LE LANCEUR

Lancer est l'essence du baseball. Seul sur le monticule, le lanceur affronte un à un les adversaires.

Le travail du lanceur est de faire en sorte que la balle soit frappée. Il lui est interdit de lancer par-dessus l'épaule, et le frappeur peut exiger que la balle soit lancée plus haut ou plus bas.

Les règles du jeu changent dans les années 1880. Le lanceur n'est plus au service du frappeur: il le défie. Depuis, la guerre est ouverte entre les deux éternels rivaux. Les frappeurs ont été avantagés par les changements touchant la zone des prises ainsi que la distance et la hauteur du monticule; les lanceurs compensent ce désavantage par la vélocité de leurs balles, leur astuce et un éventail de tirs dont les artilleurs des premiers jours ne soupçonnaient même pas l'existence.

Un répertoire des lancers

Il y a trois lancers de base : la balle rapide, la balle courbe et le changement de vitesse, une version plus lente des deux premiers. Mais pour déjouer les frappeurs, les lanceurs ont perfectionné des dizaines d'autres lancers en variant le mouvement du bras et du poignet, ainsi que la prise sur la balle. Voici quelques-uns de ces lancers.

La glissante

La glissante est une courbe qui glisse des doigts comme lorsqu'on lance un ballon de football. Tandis que la courbe a un effet avant et peut tomber de plus de 30 cm, la glissante a un effet latéral et tombe d'environ 12 cm. Steve Carlton maîtrisait parfaitement ce tir.

La balle fronde

La balle est coincée entre la fourchette formée par l'index et le majeur, d'où l'appellation « forkball » en anglais. Lancée avec force, elle pique soudainement au sol en arrivant au marbre.

La balle tire-bouchon

La balle est relâchée avec un mouvement rapide du poignet vers l'extérieur. Lancée par un droitier, elle courbe vers le frappeur droitier et s'éloigne du frappeur gaucher. Lancée par un gaucher, elle courbe vers le frappeur gaucher et s'éloigne du frappeur droitier.

La balle papillon

Placée contre les jointures, le bout des doigts ou, plus fréquemment, les ongles, la balle est lancée lentement, sans aucun effet. À la merci des courants d'air, elle flotte, vacille et pique vers le sol. La balle papillon ménage le bras

(ses spécialistes lancent souvent jusque dans la quarantaine avancée) mais elle est aussi difficile à attraper qu'à frapper. Bob Uecker, qui fut le receveur de Phil Niekro, un spécialiste de ce tir, prétendait que la meilleure façon d'attraper la balle papillon était d'attendre qu'elle ait fini de rouler...

Le lob

En anglais, cette balle a diverses appellations : « eephus » (un terme qui ne signifie absolument rien), « gondola », « balloon », « parachute », « ridiculous ». Aucun règlement ne régit l'arc d'une balle si bien qu'en 1943 Rip Sewel, de Pittsburgh, en lancera une à 8 mètres dans les airs, qui touchera le sol devant le frappeur médusé. Mais lors du match des Étoiles de 1946, Ted Williams, un des meilleurs frappeurs de l'histoire, vengera ses camarades en expédiant un lob dans les gradins.

Coquilles, épis de maïs et balles courbes...

William « Candy » Cummings lance la première balle courbe en 1863 en utilisant... une coquille de palourde. L'idée de la balle courbe lui vient au pensionnat où il s'amuse à lancer des coquilles. Celles-ci, de par leur forme, courbent naturellement, tantôt à droite, tantôt à gauche. Plus tard, les vraies balles courbes de Candy, lanceur des Excelsiors de Brooklyn, feront rager les frappeurs adverses. Mais les balles courbes n'ont pas de secrets pour les frères Waner, Paul et Lloyd, voltigeurs à Pittsburgh durant les années 40. Enfants, ils s'amusaient à frapper des épis de maïs. Selon Paul, ceux-ci avaient plus d'effet que n'importe quelle balle lancée dans un match en bonne et due forme.

UNE PAGE D'HISTOIRE AVEC PAIGE

Leroy Paige, surnommé « Satchel » (sac fourre-tout en français) parce qu'il était porteur de valises dès l'âge de 7 ans, est l'un des plus grands lanceurs de l'histoire. Sa carrière de 37 ans, 20 ans dans les Negro Leagues et 17 ans dans les majeures, prend fin en 1965. Alors âgé de 59 ans, il est débité d'un seul coup sûr à son dernier match. Il possède une rapide de feu et une balle qui monte de 15 cm. Son fameux tir hésitation comprend une pause juste avant le lancer ; il est si efficace qu'on le déclare illégal. « Certains frappeurs s'élançaient alors que j'avais encore la balle dans la main », dira Satchel. Son conseil aux lanceurs était on ne peut plus simple : « Lancez des prises. Le marbre ne bouge pas. »

Gare aux tricheurs !

Depuis toujours, les lanceurs tentent d'altérer la balle pour déjouer les frappeurs. La balle mouillée – jus de tabac, salive, sueur, huile, cire ou vaseline – quitte plus facilement la main du lanceur, a un effet de rotation moindre et tombe abruptement en arrivant au marbre. Preuve de son efficacité, Ed Walsh, des White Sox de Chicago, un spécialiste de la balle mouillée, affichera à sa retraite en 1917 une moyenne de points mérités de 1,82, la meilleure de l'histoire.

La balle éraflée est aussi en vogue à cette époque. On rend la surface de la balle rugueuse sur un de ses côtés grâce à du papier de verre, de la terre, une boucle de ceinture, une aiguille de tourne-disque, des crampons ou même, comme cela s'est déjà vu, une râpe à noix. Comme la résistance de l'air est plus forte sur le côté éraflé de la balle, sa trajectoire s'en trouve modifiée.

Ces deux lancers seront déclarés illégaux en 1920 mais les lanceurs utilisant déjà la balle mouillée obtiendront la permission d'y avoir recours jusqu'à leur retraite. Malgré les suspensions, les amendes et l'œil des caméras, les lanceurs ne résistent pas toujours à la tentation. Le 22 juin 1992, Tim Leary, des Yankees, est accusé par les frappeurs de Baltimore de trafiquer la balle. Des millions de téléspectateurs le voient mettre un objet dans sa bouche avant l'arrivée de l'arbitre. Et la manche terminée, on le verra cracher quelque chose par terre en quittant le terrain.

Question : Pourquoi le lanceur est-il à 60 pieds 6 pouces (18,4 mètres) du frappeur ?

Réponse : Parce que le type qui a fait le schéma du terrain en 1893 écrivait mal. Il a écrit 60' 0" mais son 0 avait l'air d'un 6.

LE POLICIER DU BASEBALL : L'ARBITRE

Alexander Cartwright a rédigé les règlements mais pour les faire respecter, il y aura l'arbitre. Nous sommes en 1845. Un certain William Wheaton, riche et distingué avocat new-yorkais, vêtu d'un haut-de-forme et d'une redingote, s'avance lentement derrière la ligne de touche près du premier but et s'assoit sur un tabouret, canne à la main. Tout est prêt pour le premier match de baseball consigné.

À cette époque lointaine, la plupart des arbitres sont des notables. Certains se tiennent derrière le lanceur ou à côté du frappeur, d'autres sont agenouillés le long de la ligne du premier but, d'autres encore sont assis dans des chaises berçantes à 6 mètres derrière le marbre. L'arbitre ne reçoit aucune formation, ne porte pas l'uniforme et n'est pas rémunéré.

Premier match consigné — le 6 octobre 1845

Il est là pour accomplir une noble tâche : faire respecter les règles du jeu.

Les arbitres deviendront professionnels en même temps que les joueurs. En 1879, la Ligue Nationale désigne un effectif de 20 hommes parmi lesquels une équipe pourra choisir un arbitre qu'elle paiera 5 $ le match. Quelques saisons plus tard, l'Association américaine, une ligue professionnelle qui vivra de 1882 à 1891, embauche des arbitres à 140 $ par mois ; elle leur assigne des matchs. Elle leur demande aussi de porter des vestes de flanelle et des casquettes bleues. C'est la naissance des hommes en bleu.

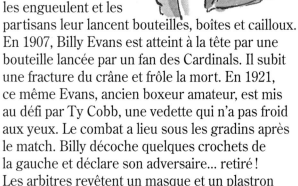

Arbitrer n'est plus une affaire de gentlemen ; en fait, c'est un métier dangereux. On leur donne des coups de pied, on les insulte, on les cramponne, on leur crache dessus. Comme aujourd'hui, les gérants les engueulent et les partisans leur lancent bouteilles, boîtes et cailloux. En 1907, Billy Evans est atteint à la tête par une bouteille lancée par un fan des Cardinals. Il subit une fracture du crâne et frôle la mort. En 1921, ce même Evans, ancien boxeur amateur, est mis au défi par Ty Cobb, une vedette qui n'a pas froid aux yeux. Le combat a lieu sous les gradins après le match. Billy décoche quelques crochets de la gauche et déclare son adversaire... retiré ! Les arbitres revêtent un masque et un plastron en même temps que les receveurs. Jusqu'en 1970, les arbitres de la Ligue américaine portent le plastron par-dessus leurs vêtements. Difficile de se pencher ! Aussi, leur zone des prises est-elle plus haute que celle de leurs confrères de la Nationale qui, eux, cachent le plastron sous leur chemise.

L'arbitre devient vite indispensable. Aucun match professionnel ne peut être disputé sans lui. Ils sont deux par match en 1920, trois en 1933 et quatre en 1952 et, à compter de 1948, six pour tous les matchs d'après-saison. Les arbitres ont pleins pouvoirs mais leur salaire n'est pas à la hauteur de leurs responsabilités. En 1968, ils forment leur propre syndicat. Trois grèves en 15 ans leur permettent de jouir de meilleurs salaires, de vacances payées et d'un fonds de retraite. Le salaire de base des arbitres des ligues mineures est de 400 $ par semaine mais dans les majeures il grimpe à 70 000 $ par année.

Chaque année, 500 candidats suivent des cours intensifs dans les écoles d'arbitrage. De ce nombre, moins de 50 décrochent un emploi dans les ligues mineures et, après une dizaine d'années, une poignée seulement sont accueillis chez les grands, qui forment un groupe sélect de 62.

La consécration est encore plus problématique s'il s'agit d'un Noir, d'un Latino-Américain ou d'une femme. Il faut attendre 1966, 19 ans après que Jackie Robinson eut brisé la barrière raciale, avant de voir un arbitre noir officier dans les ligues majeures. Et ce n'est que huit ans plus tard que le premier arbitre latino-américain fera son entrée dans la cour des grands. Quant aux femmes, n'en parlons même pas. Pam Postema, classée 17e sur 100 à l'école d'arbitrage, aura passé 13 ans et plus de 2 000 matchs à se faire insulter dans les ligues mineures avant que le baseball lui signifie son renvoi. Pam, invoquant la discrimination sexuelle, a porté sa cause en Cour suprême mais elle est si profondément blessée qu'elle est même incapable de regarder un match. L'arbitrage, comme le baseball lui-même, a encore du chemin à faire.

Pam Postema

Comment le balai a perdu son manche...

Jusqu'au début de ce siècle, les arbitres nettoyaient le marbre avec un balai ordinaire à long manche. Le travail fait, ils le lançaient négligemment vers le banc des visiteurs.
En 1904, un joueur des Cubs de Chicago en route vers le marbre trébuche sur le balai de l'arbitre et se tord une cheville. Le mal est fait mais le remède est trouvé : dorénavant, l'homme en bleu utilisera un balai de poche.

Le compas dans l'œil

Bob Emslie, un arbitre de talent et l'un des rares officiels canadiens à avoir œuvré dans les ligues majeures, se fait traiter un jour de « voleur aveugle » par le bouillant John McGraw, gérant des Giants de New York. Le lendemain, Bob arrive au stade armé d'une carabine. Après avoir fendu une allumette, il insère une pièce de 10 cents dans la fente et plante l'allumette près du deuxième but. Revenu au marbre, il fait feu. La pièce de monnaie roule jusqu'au champ centre, et McGraw ne doutera plus jamais qu'Emslie a le compas dans l'œil...

Pourquoi l'arbitre parle avec ses doigts

Au début, les arbitres font connaître leur décision en criant tout simplement « balle » ou « prise ». Mais William « Dummy » Hoy — lui-même insistait pour que l'on utilise ce surnom — devait changer tout ça. Victime d'une méningite à l'âge de 2 ans, Hoy est resté sourd et muet. Malgré son handicap, il s'affirmera au champ centre pendant 14 saisons — moyenne de ,288 et 597 buts volés. Mais Hoy doit lire sur les lèvres de l'arbitre pour savoir si c'est une balle ou une prise. Quand les lanceurs se mettent à décocher des tirs à répétition, Dummy, décontenancé, voit sa moyenne plonger radicalement. Il demande l'aide de l'entraîneur au troisième but qui lui transmettra un signal pour une prise et un autre pour une balle. L'année suivante, en 1887, sa moyenne grimpera à ,367 et son équipe remportera le championnat. Les arbitres trouvent bonne l'idée des signaux de la main et, depuis, ceux-ci font partie du baseball.

5ᵉ MANCHE

LE COUREUR, LE JOUEUR DÉFENSIF, LE RECEVEUR

LE COUREUR

Être rapide, c'est bien. Se servir de sa tête et jouer d'astuce, c'est encore mieux.

L'idée de base est simple : frapper la balle en jeu et courir. Si la balle n'est pas attrapée, le coureur fera peut-être le tour des buts et marquera un point.

Mais parfois tout n'est pas si simple. Surtout en raison de règlements comme ceux-ci.

1. Un seul coureur peut occuper un but.

Dans la Série mondiale de 1963, deux Dodgers se retrouvent au troisième but. L'inter des Yankees Tony Kubek court vers eux avec la balle, touche à tout le monde, y compris l'arbitre, et dit : « L'un de vous est retiré. » Il a raison. Dans un match des années 20, trois Dodgers créent un embouteillage au troisième but. Deux sont retirés pour avoir enfreint le règlement et l'autre est retiré alors qu'il tente de faire marche arrière vers le deuxième but. Fin de la manche.

2. Un coureur est retiré s'il dépasse le coureur qui le précède.

Après avoir claqué un circuit avec un coureur sur les sentiers, Lou Gehrig, des Yankees, a oublié ce règlement. Cette bourde monumentale lui a fait perdre le titre de champion frappeur de 1931.

3. **Un coureur doit toucher à tous les buts.**

N'en parlez pas à Fred Merkle. Nous sommes en dernière moitié de la neuvième manche entre les Giants de New York et les Cubs de Chicago dans un match qui décidera du championnat de 1908. New York est au bâton avec deux retraits. Il y a un coureur au troisième but et Fred Merkle est au premier. La marque est égale 1-1. Le frappeur frappe un simple au champ centre et le coureur au troisième marque le point gagnant. Fred applaudit comme tout le monde et quitte le terrain. Mais comme il a oublié de toucher au deuxième but, le jeu n'a pas été complété et officiellement il n'est donc pas sauf. Les Cubs protestent, on rejoue la partie et New York la perd, ainsi que le championnat. Fred Merkle hérite d'un surnom : « Bonehead », l'abruti...

4. **Un coureur doit toucher aux buts dans l'ordre.**

Ce règlement est établi en 1920 après un match des Athletics de Philadelphie. Ceux-ci ont un coureur aux premier et troisième buts. Le gérant donne le signal du double vol. Le coureur au premier vole le deuxième mais celui au troisième ne bouge pas. Le coureur au deuxième, contre toute attente, retourne au premier but et, dans la même séquence, nargue le receveur en volant à nouveau le deuxième. Le receveur lance finalement au deuxième et le coureur au troisième croise le marbre. Mais c'est en 1883 que survient la pire démonstration d'incompétence sur les buts. Un frappeur plus que médiocre obtient finalement un coup sûr. Au comble de l'excitation, il se dirige vers le... troisième but. Tout le monde se met à crier mais le pauvre pense qu'il s'agit d'encouragements et fait le tour du losange à l'envers ! L'arbitre, comme il se doit, le déclare retiré...

5. **Un coureur ne peut pas intentionnellement s'interposer devant une balle en jeu ou un joueur défensif tentant d'attraper la balle, et un point ne peut être marqué à la suite d'une interférence.**

Le règlement 7.09h est connu sous le nom de « règlement Jackie Robinson ». Robinson a fait échouer des dizaines de doubles jeux en laissant la balle le frapper dans sa course vers le deuxième but. Lui-même était retiré mais le frappeur était sauf au premier but. Lors de la Série mondiale de 1978, Reggie Jackson, des Yankees, essaiera le même truc. Après l'avoir atteint à la hanche, la balle bondira jusqu'au champ droit. Le frappeur sera sauf au premier but et un point sera marqué. L'arbitre jugera que Jackson n'a pas voulu commettre de l'interférence, et les Yankees gagneront le match 4-3 et plus tard la Série mondiale.

UNE GAZELLE DU NOM DE COOL PAPA BELL

James Bell, une vedette des Negro Leagues, était rapide comme l'éclair en plus de se débrouiller plutôt bien au bâton (moyenne de ,411 en 1946, à l'âge de 43 ans). Il a déjà marqué du deuxième but sur une chandelle et du premier sur un amorti sacrifice, et ce, à l'âge de 45 ans. Satchel Paige disait que Bell était si rapide qu'il pouvait fermer la lumière et sauter dans le lit avant qu'il fasse noir...

Glissades en tous genres

Au baseball, la différence entre « sauf » et « retiré » est souvent une question de centimètres. Le fait de toucher le coussin du bout de la main ou du pied rétrécit la cible et complique le travail de l'arbitre.

Mike « King » Kelly fait figure de pionnier en la matière. Évoluant pour Cincinnati et Chicago dans les années 1880, Kelly perfectionne la glissade pieds devant et invente la glissade à crochet – une jambe accroche le coussin tandis que le reste du corps est aussi loin que possible du joueur défensif. Plus qu'une arme quotidienne, le vol de but devient un art. À l'époque, il est rare qu'on vole un but mais Kelly le fera à 368 reprises. Bel homme, fonceur, adoré par ses fans, King Kelly est le premier joueur assiégé par les chasseurs d'autographes. Il se rend souvent au stade en tenue de soirée, avec son chapeau de soie, dans un fiacre attelé de chevaux blancs. Une chanson sera même composée en son honneur.

La glissade tête la première, spectaculaire et risquée, coïncide avec l'avènement des casques protecteurs et des gants pour coureurs. Pete Rose en fait une spécialité. Elle est plus rapide que la glissade pieds devant, surtout quand on fait marche arrière vers le but pour éviter d'être pris à contre-pied. Au marbre, elle est carrément dangereuse car le receveur bloque la voie comme un char d'assaut et le marbre, contrairement aux autres buts, n'est pas matelassé.

Des excuses, toujours des excuses...

Certains joueurs ne glissent pas au moment opportun et sont retirés. Babe Ruth, lui, refusera de glisser dans les matchs amicaux. Il ne veut pas décevoir les collectionneurs d'autographes en brisant la plume dans sa poche arrière ! Dans le bon vieux temps, certains s'abstiennent de glisser pour ne pas endommager leur flasque de whisky. Charles « Casey » Stengel, le loufoque gérant des Dodgers, des Yankees et des « Amazin' Mets », sera hué pour refus de glisser quand il jouait pour Pittsburgh en 1918. Il criera à la foule : « Je suis si mal payé que je suis vide à l'intérieur et que je meurs de faim. Si je glisse, je vais exploser comme une ampoule ! »

De grands voleurs

L'expression « vol de but » apparaît dans un journal de New York en 1862 même si on ne tiendra des statistiques à ce sujet qu'à compter de 1886. Eddie Cuthbert, des Keystones de Philadelphie, effectue le premier vol par glissade en 1865. Le vol de but gagne en importance tout au long de l'ère de la balle morte et jusqu'en 1920. Mais l'avènement de la balle vivante et l'émergence des frappeurs de circuits comme Babe Ruth modifient le baseball.

Il faudra attendre 30 ans pour que le vol de but devienne à nouveau une arme redoutable. Parmi les as de l'époque, on note Jackie Robinson, Willie Mays et Luis Aparicio.

Tyrus Raymond Cobb est le voleur par excellence de l'ancienne époque. Son surnom, « The Georgia Peach » (la pêche de Géorgie) est trompeur car Ty Cobb est un homme brutal, égoïste, raciste qui cramponne les joueurs pour le plaisir de la chose. Seulement trois représentants du baseball assisteront à ses funérailles en 1961. Mais sur le terrain, Ty est sans pareil. En 1915, il vole 96 buts, un record des ligues majeures qui tiendra bon jusqu'en 1962, année où Maury Wills en volera 106. Depuis, d'autres bandits du losange, dont Lou Brock, des Cardinals de Saint Louis (118 en 1974), et Rickey Henderson (130 en 1982), ont fait oublier ceux de la première époque.

Mais il est un record de Cobb qui n'a jamais été battu : au cours de sa carrière de 23 ans, il a volé le marbre à 50 reprises dont huit fois en une seule saison. Il réussira même l'exploit dans un match de la Série mondiale.

Willie Mays

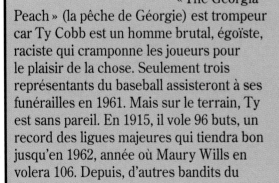

Jackie Robinson

Ty Cobb, l'un des grands voleurs de buts de son temps, glisse au troisième coussin.

LE JOUEUR DÉFENSIF

« La meilleure attaque est une bonne défense... »
Ce dicton, aussi vieux que le baseball, est encore vrai aujourd'hui. L'excellence en défense fera gagner des matchs, même contre de puissants frappeurs.

L'avant-champ

Les premier-but, deuxième-but et troisième-but, ainsi que l'inter — ou arrêt-court — , sont la première ligne de défense. Un jeu à l'avant-champ se termine habituellement par un retrait. Pourquoi? Parce que, étonnamment, 49 % de toutes les balles en jeu sont des roulants, c'est-à-dire qu'elles touchent le sol de l'avant-champ, ce qui permet aux joueurs défensifs de les attraper rapidement et de retirer les coureurs.

Le premier-but idéal est grand, mince, gaucher, comme Mark « Amazing » Grace, des Cubs de Chicago. Grace peut attraper les lancers imprécis, récupérer rapidement les amortis, couvrir beaucoup de terrain entre le premier et le deuxième but et, avec la complicité du lanceur, prendre les coureurs à contre-pied. Cela dit, on peut être court et trapu, comme l'était Pete Rose, et très bien se débrouiller au premier but.

Le deuxième-but et l'inter doivent posséder la vitesse d'un guépard et l'habileté d'un acrobate. Ils récupèrent les roulants et amorcent la plupart des doubles jeux. Ils doivent être agiles pour esquiver un coureur glissant au deuxième but. Robbie Alomar et Ozzie Smith « The Wizard of Oz », détenteur du record pour le plus grand nombre d'assistances, sont des modèles à leur position.

Le troisième-but protège le coin chaud. Il doit avoir une bonne portée, un bras fort et un jeu de pieds rapide. Il lui faut aussi une bonne dose de courage pour plonger vers la ligne de démarcation et se servir de son corps comme d'un bouclier pour stopper la balle. Brooks Robinson et Mike Schmidt ont remporté à eux deux 26 Gants d'or à cette position.

L'inter de Pittsburgh John « Honus » Wagner — Wayne Gretzky a acheté sa carte pour 451 000 $ en 1991 et l'a revendue à moitié prix l'année suivante — est peut-être le plus grand de tous à cette position. On a comparé ses mains à des pelles. Quand il ramassait la balle, il lançait une poignée de terre en même temps. Il prétendait voir un jour lancé un chien au premier but en même temps que la balle ! Avec ses jambes arquées et ses longs bras, on disait qu'il pouvait lacer ses chaussures sans plier les genoux. Honus est généreux, gentil, facile à vivre, tout le contraire de Ty Cobb. Lors de la Série mondiale de 1907, Cobb crie à Wagner en courant vers le premier but : « Attention, l'abruti ! J'arrive ! » Wagner le retire avec une telle ardeur que Cobb en perd des dents. Wagner et les Pirates remporteront aussi la série...

Des mains comme des passoires

Un certain Henry « Zeke » Bonura, un avant-champ de Chicago dans les années 30, avait les mains comme des passoires. Un jour, avec deux retraits et trois coureurs sur les sentiers, Zeke bloque un roulant, échappe la balle, la ramasse, l'échappe à nouveau et lui donne un coup de pied. Quand il la récupère finalement, trois points ont été marqués et le frappeur file vers le troisième but. Zeke lance la balle. Elle atterrit dans l'abri, et le coureur marque.

Drôle de trio

De gauche à droite : Tinker, Evers, Chance

Les avant-champs les plus célèbres — mais non les meilleurs — à exécuter le double jeu étaient le trio des Cubs de Chicago formé de Joe Tinker à l'inter, Johnny Evers au deuxième but et Frank Chance, qui agissait aussi comme gérant, au premier but.

Les trois étaient des durs à cuire, toujours prêts à se bagarrer, même l'un contre l'autre. Tinker et « Crab » Evers en étaient venus aux coups en 1905 pour une histoire de taxi et ne s'étaient plus adressé la parole, même sur le terrain, pendant 22 ans.

Le trio a été élu en même temps au Temple de la renommée en 1946. Les destins de Tinker, Evers et Chance sont à jamais unis.

Le frisson du triple jeu

À part un tremblement de terre, rien ne met plus rapidement fin à une manche qu'un triple jeu. Le triple jeu est si rare que la plupart des amateurs n'en ont jamais vu un. L'histoire du baseball majeur ne compte que neuf triples jeux en solo (quand le même joueur effectue les trois retraits). Le 10 octobre 1920, Bill Wambsganss, deuxième-but de Cleveland, réussit le seul triple jeu de l'histoire de la Série mondiale. Avec des Dodgers aux premier et deuxième buts, il attrape une flèche (retrait n° 1), met le pied sur le coussin (retrait n° 2) et touche le coureur en route vers le deuxième but (retrait n° 3). Lors de la Série mondiale de 1992 contre Atlanta, les Blue Jays de Toronto réussissent un triple jeu mais l'arbitre Bob Davidson rate le « tag » de Kelly Gruber. Le lendemain, l'homme en bleu reconnaîtra son erreur, ce qui est aussi rare qu'un... triple jeu. Les Jays enlèveront la série de toute façon.

Il faut toujours se servir de sa tête...

Nous sommes à un match Red Sox-Indians en 1935. Trois coureurs sur les sentiers, aucun retrait. Joe Cronin, de Boston, est le frappeur. Il frappe une flèche en plein sur le troisième-but de Cleveland, Odell Hale. La balle ricoche sur la tête de Hale et atterrit dans le gant de l'inter Billy Knickerbocker. Billy relaie la balle au deuxième-but Roy Hughes qui lance en toute hâte au premier-but. Fin du triple jeu le plus étrange de l'histoire...

Tel père, tel fils...

Le 11 mai 1993, Todd Hundley, des Mets de New York, frappe dans un triple jeu, le premier de la saison. Parmi les spectateurs : son père, Randy, qui avait frappé dans un triple jeu 21 ans plus tôt.

HORS DES SENTIERS BATTUS

Les joueurs d'avant-champ sont pleins de trucs. Ils feignent de lancer, cachent la balle, prétendent l'avoir alors qu'elle est au champ gauche, etc. Mais Kent Hrebek, des Twins du Minnesota, fait encore mieux : après avoir soulevé un coureur des Blue Jays au-dessus du premier but, il le touche avec la balle. Décision de l'arbitre : retiré ! Mais la justice reprend ses droits quand Roger Clemens, de Boston, une armoire à glace, pousse littéralement le chétif Alfredo Griffin, de Toronto, loin du but. Cette fois, l'arbitre ne donne pas raison à Clemens.

À l'époque où les arbitres sont postés loin des coussins, le troisième-but de Baltimore, John McGraw, a un truc pour retenir les coureurs : il les agrippe par la ceinture. Mais Pete Browning lui jouera un vilain tour. En passant au troisième but, il défait discrètement la boucle de sa ceinture. John en reste bouche bée, ceinture à la main, tandis que Pete file sans encombre vers le marbre.

Le champ extérieur

Les voltigeurs de droite, de gauche et de centre sont la dernière ligne de défense. Un voltigeur doit, dans l'ordre, penser vite, courir vite et lancer vite. Avant chaque lancer – il y en a environ 150 par match – un bon voltigeur connaît la réponse aux neuf questions suivantes :

1. Quel est le pointage ?
2. À quelle manche en est-on ?
3. Combien y a-t-il de retraits ?
   (Si un voltigeur ne peut répondre à ces trois questions, il sera bientôt chômeur.)
4. Quel genre de lancer le lanceur effectuera-t-il ?
5. Où les autres voltigeurs sont-ils positionnés ?
6. Où sont les coureurs et sont-ils rapides ?
7. Où le frappeur frappera-t-il la balle et est-il rapide ?
8. Le vent me gênera-t-il ?
9. Le soleil me gênera-t-il ?

Si le voltigeur a la réponse à ces questions, il se déplacera avant même que la balle ne soit frappée.

Des trois voltigeurs, celui de droite doit posséder le bras le plus fort : un long tir précis au troisième but ou au marbre peut empêcher un point. Al Kaline, des Tigers de Detroit, était parfait à cette position : il avait un bras de fer, a disputé 133 matchs consécutifs sans commettre une erreur en 1971 et a gagné 11 Gants d'or.

Souvent, les gérants assignent au champ gauche un joueur qui est aussi mauvais joueur défensif qu'excellent frappeur. Un exemple typique : Leon « Goose » Goslin, des Senators de Washington. Sept années de suite (1922-1928), sa moyenne offensive sera de ,300 et plus, ce qui ne l'empêche pas d'être nul au champ gauche. Il se contentait d'admirer les chandelles frappées dans sa direction pendant que le champ centre attrapait la balle à sa place.

Après le lanceur, le receveur et l'inter, le voltigeur de centre est le plus important au sein de l'équipe. Habituellement, il est le meilleur des trois en défensive et joue les chefs d'orchestre. Plus de balles sont frappées au centre qu'à droite ou à gauche et c'est son rôle de signifier à ses coéquipiers qu'il fera lui-même l'attrapé. Comme il doit couvrir beaucoup de terrain, il lui faut être rapide et posséder un bras fort pour relayer la balle au troisième but et au marbre. Et tant mieux s'il peut grimper sur la clôture à la façon d'une araignée. Les voltigeurs de centre sont généralement minces avec de longues jambes comme Joe DiMaggio, Willie Mays et Devon White. Mais Kirby Puckett, du Minnesota, bâti comme une quille avec son 1,70 m et ses 102 kilos, a gagné cinq fois le Gant d'or.

Joe DiMaggio

Devon White

Kirby Puckett

Voltigeur aux abois

En 1888, un voltigeur de Cincinnati s'est fait damer le pion par un chien. « Chicken » Wolf — William van Winkle Wolf de son vrai nom —, de Louisville, frappe un simple à droite. Abner Powell se met à la poursuite de la balle mais un chien, sorti de son sommeil, se met à courir après Abner. Il l'agrippe par la culotte assez longtemps pour que Chicken Wolf croise le marbre.

QUEL ATTRAPÉ !

Willie Mays, des Giants de New York, pouvait tout faire : courir, voler des buts, frapper et attraper la balle. On a dit de lui qu'il était le meilleur champ centre de l'histoire, ce qu'il prouve le 29 septembre 1954. Au début de la huitième manche, le pointage est égal (2-2) dans le premier match de la Série mondiale. Coureurs aux premier et deuxième buts, aucun retrait. Vic Wertz, de Cleveland, frappe la balle loin au centre, à 134 mètres du marbre. Mays se retourne, se précipite vers la clôture, attrape la balle par-dessus son épaule et la relaie à l'avant-champ. Le coureur au deuxième se rendra au troisième mais ce sera tout : les deux frappeurs suivants seront retirés et les Giants gagneront le match et la série. Ce fameux attrapé, « The Catch », appartient maintenant à l'histoire du baseball.

Quelle bourde !

Quarante-deux ans avant Willie Mays, un autre champ centre des Giants de New York faisait la manchette. Dans le dernier match de la Série mondiale de 1912, alors que son équipe mène 2-1 en dixième manche et pense déjà au championnat, Fred Snodgrass semble avoir attrapé une chandelle frappée par Clyde Engle, de Boston, mais il l'échappe. Engle se rend ainsi au deuxième but. Le lanceur Christy Mathewson donne ensuite un but sur balles. Les deux coureurs marqueront et Boston remportera la série. Fred meurt en 1974 à l'âge de 87 ans sans s'être débarrassé de cette épithète honteuse : « The Snodgrass Muff ».

LE RECEVEUR

Il y a 150 ans, le rôle du receveur consistait à éviter aux fans d'être frappés en plein front par la balle. Aujourd'hui, il est l'homme le plus occupé sur le terrain. Le stratège, c'est lui, à la façon du quart au football. Il est aussi la dernière ligne de défense, comme le gardien au hockey ou au soccer.

Le poste de receveur t'intéresse ? Voici la description de la tâche.

1. Revêtir et enlever les nombreuses pièces d'équipement au moins huit fois par jour.
2. Diriger le lanceur — lui dire quel lancer effectuer en lui envoyant des signaux avec les mains.
3. Connaître les forces, faiblesses et manies de chaque lanceur.
4. Connaître les forces, faiblesses et manies de chaque frappeur adverse.
5. Déployer la défense — dire aux joueurs défensifs où se positionner.
6. Attraper les amortis.
7. Attraper les chandelles.
8. Retirer les voleurs de buts.
9. Couvrir les premier et troisième buts s'il n'y a pas de jeu au marbre.
10. Bloquer toutes les balles en direction du marbre — hautes, basses, à l'extérieur, à l'intérieur.
11. Bloquer tous les coureurs tentant de franchir le marbre.

Le receveur idéal est bâti comme une armoire à glace, tire des obus et possède une mémoire d'ordinateur. Il vaut mieux qu'il ait la couenne dure également car il risque d'être souvent blessé. Les bons receveurs connaissent une longue carrière. Carlton Fisk, qui a pris sa retraite en 1993, mène les majeures : 2 226 matchs en 24 ans. Gary Carter, qui a commencé et terminé sa carrière à Montréal, a disputé près de 2 100 matchs en 19 ans. Les receveurs sont résistants à moins qu'ils ne se brisent des os.

Roger Bresnahan, le premier à porter des genouillères et à accéder au Temple de la renommée, dispute 139 matchs en 1908. Ses genoux ne tiennent pas le coup et il ne sera plus jamais un receveur à temps plein. Buck Martinez, avec les Blue Jays dans les années 80, subira une grave fracture à une jambe en voulant stopper Phil Bradley, de Seattle. Buck gardera quand même la balle dans son gant et Bradley sera retiré.

Roger Bresnahan

Gary Carter

Buck Martinez

IL A JETÉ L'ÉPONGE

Jim Essian, receveur des White Sox, avait la réputation de contourner les règlements. Un jour, lors d'un double vol de buts, il lance une éponge blanche, cachée dans sa mitaine, vers le deuxième but. Le coureur, entre-temps parvenu au troisième, file vers le marbre mais, cette fois, Essian lance la vraie balle et le coureur est retiré.

« Le meilleur receveur de l'histoire » — 1re partie

Josh Gibson a peut-être été le meilleur receveur de tous mais on ne le saura jamais vraiment puisqu'il lui était interdit de jouer dans les majeures. Star des Negro Leagues pendant 15 ans, Gibson, en plus de recevoir les tirs de Satchel Paige, est un superbe frappeur. Un de ses circuits est mesuré à 175 mètres, et ce n'est pas son plus long. En 17 ans, il maintiendra une moyenne offensive de plus de ,350. Le brillant lanceur Walter Johnson lui rendra hommage : « Il frappe la balle au bout du monde, il l'attrape en se berçant et il la lance à la vitesse d'un boulet. » Gibson mourra d'une hémorragie cérébrale à 35 ans, trois mois avant que Jackie Robinson ne brise la barrière de la couleur. Il sera finalement élu au Temple de la renommée 25 ans plus tard, deuxième Noir à recevoir cet honneur.

Josh Gibson

« Le meilleur receveur de l'histoire » — 2e partie

Lawrence « Yogi » Berra — il a donné son nom à un personnage de BD, Yogi l'Ours — devient le receveur des Yankees en 1949 et ceux-ci remportent cinq championnats de ligue d'affilée. Ayant participé à 14 Séries mondiales et en ayant gagné 10, il sera le receveur de la seule partie parfaite de l'histoire de la Série mondiale. Solide et trapu, il excelle aussi à l'attaque, comme en témoignent ses 358 circuits.

Les mots de Yogi...

Yogi est l'homme le plus cité du baseball. Parfois, ses phrases n'ont pas de sens mais le message reste clair. Des exemples : « De nos jours, un 5 cents ne vaut plus un 10 cents » ; « 90 % du baseball est à moitié mental » ; « Pas étonnant que personne ne vienne ici : il y a trop de monde » ; « Je n'ai pas vraiment dit toutes ces choses que j'ai dites. » Son mot le plus célèbre : « It ain't over till it's over » — « Ce n'est pas fini tant que ce n'est pas fini »...

Yogi Berra

6e MANCHE

QUI EST LE LE PATRON ?

LE GÉRANT D'AUTREFOIS

Le jour où le baseball, jeu pour les gentlemen bien nantis, devient une industrie qui enrichira les riches encore plus, quelqu'un doit prendre les choses en main. Le premier gérant s'appelle William « Harry » Wright. Né en Angleterre, Harry, cricketeur professionnel et bijoutier, a le coup de foudre pour le baseball. En 1858, à 23 ans, il joint les rangs des Knickerbockers de New York comme lanceur et voltigeur. Dix années plus tard, il organise et dirige la première équipe professionnelle, les Red Stockings de Cincinnati. Ses fonctions ? Voltigeur de centre, releveur, soigneur, responsable des voyages, préposé aux bâtons et aux balles, caissier, chien de garde et concepteur de l'uniforme. Comme un bon père, il donne des conseils à ses jeunes joueurs : « Mangez de la

Attention au gérant

nourriture solide, un rosbif saignant, par exemple... Menez une vie ordonnée, dormez bien, évitez l'alcool et le tabac. »

Cinquante ans durant, les joueurs-gérants à la façon de Wright, seront la règle. (Pete Rose, lui aussi de Cincinnati, sera le dernier. Il cessera de jouer en 1986 et quittera le baseball en 1988 après avoir été suspendu à vie pour paris illégaux.) Les gérants des premiers temps inventent ou perfectionnent plusieurs aspects du jeu. Ainsi, Cap Anson, de Chicago, est le premier à amener son équipe au sud pour le camp d'entraînement printanier, en 1886. Et Ned Hanlon, gérant des Orioles de

Baltimore, une équipe de bagarreurs mal engueulés, popularise les signaux, l'amorti et le frappe-et-court dans la décennie 1890.

McGraw, le petit troisième-but de Baltimore (1,70 m, 68 kilos), est nommé gérant des Giants de New York en 1902. Il leur imprime le style fougueux et voyou des Orioles et s'impose comme l'un des meilleurs gérants de l'histoire. C'est lui qui, le premier, fait appel à des releveurs et à des frappeurs d'urgence. Il invente les repositionnements défensifs — il place les joueurs défensifs à l'endroit où la balle doit être en principe frappée. Dur à cuire au tempérament violent, McGraw est surnommé « le petit Napoléon » parce qu'il exige l'obéissance absolue. Un jour, il impose une amende de 25 $, l'équivalent de deux semaines de paye, à l'avant-champ Sammy Strang. Celui-ci a frappé un circuit de trois points alors qu'il a reçu l'ordre d'exécuter l'amorti (Strang ne frappera que 16 circuits en carrière!). McGraw livre des combats de boxe à des propriétaires, gérants, joueurs, arbitres, préposés aux bâtons, fans, ainsi qu'à de parfaits inconnus. Il mènera les Giants à dix championnats de ligue, un record, et remportera 2 840 matchs en 33 ans, le deuxième dossier de l'histoire.

En première place pour le nombre de victoires — 3 776 au total — se trouve Connie Mack, gérant des Athletics de Philadelphie. Il mettra 53 ans à réaliser l'exploit, plus que tout autre gérant, mais il faut dire qu'il est aussi propriétaire de l'équipe. Il est tout le contraire de John McGraw : grand, élégant, gentleman. M. Mack n'élève jamais la voix ; et il ne porte jamais l'uniforme, ce qui l'empêche de mettre les pieds sur le terrain. Il dirige ses troupes de l'abri en faisant des gestes avec la carte de l'alignement partant et porte toujours une chemise blanche à col empesé, un costume-cravate et un chapeau de

Connie Mack

paille. C'est ce même Connie Mack qui, après avoir perdu 117 matchs en 1917, dira simplement : « On ne peut pas toujours gagner. »

Charles Dillon Stengel, l'un des plus grands gérants de l'histoire, ambitionne d'abord d'être le seul dentiste gaucher de Kansas City. Mais le losange l'attire plus que le fauteuil du dentiste. Surnommé « Casey », du nom de K.C., sa ville natale, Stengel joue au champ extérieur pendant 16 ans. Il connaît ses meilleurs moments avec les Giants de New York de John McGraw. Lors de la Série mondiale de 1923, les Giants gagnent leurs deux seuls matchs grâce à des circuits opportuns de Casey, les deux premiers au Yankee Stadium dans une Série mondiale. Personnalité excentrique, Stengel multiplie les tours pendables. Un jour, il emprisonne un moineau sous son casque qu'il soulève pour signifier son désaccord avec l'arbitre. Fans et moineau sont ravis, l'arbitre moins... Dans un match ennuyeux au camp d'entraînement, Casey disparaît dans un trou d'homme.

Quand une chandelle est frappée en sa direction, son gant surgit du trou à la façon d'un périscope et la balle s'y engloutit.

Ses débuts comme gérant sont ordinaires. De 1934 à 1936, les Dodgers se classent sixièmes, cinquièmes et septièmes. À Boston, les Braves finissent quatre fois au septième rang sous sa gouverne. (Renversé par un taxi, il se fracture une jambe et les fans confèrent au chauffeur le titre de Joueur par excellence.) Mais en 1949 les Yankees l'embauchent. Sous sa tutelle, ils remportent 10 championnats de ligue et sept titres de la Série mondiale en 12 ans. Casey est congédié, comme de raison...

Deux années plus tard, à l'âge de 73 ans, il devient le premier gérant des « Amazin' Mets », une équipe de l'expansion qui gagne le cœur des fans tout en faisant damner Casey. Ayant pris sa retraite en 1965, Casey est intronisé au Temple de la renommée l'année suivante. Il meurt en 1975, seul gérant à avoir gagné la Série mondiale cinq années de suite. Clown, showman, génial sur le terrain, « The Ol' Perfessor » dirige ses équipes selon les règles convenues (lanceur gaucher contre lanceur droitier, par exemple) mais il sait aussi quand sortir des sentiers battus. Il disait se rappeler tous les matchs qu'il avait dirigés. Et bien qu'il ait déjà déclaré : « L'art d'être gérant, c'est de garder les cinq gars qui te détestent loin des cinq qui n'ont pas encore pris leur décision », il était admiré et adoré de ses joueurs. Il excellait à diriger les super vedettes tels Joe DiMaggio, Mickey Mantle, Yogi Berra, Eddie Lopat, Whitey Ford et Johnny Sain.

Pardon ?

Casey Stengel déconcertait souvent ses auditeurs. Il pouvait être aussi difficile de comprendre ses phrases que de manger de la soupe avec des baguettes. Deux exemples : « L'avenir n'est plus ce qu'il était » et « Les bons lanceurs auront toujours raison des bons frappeurs et vice versa. »

Des gérants pittoresques

Léo Durocher

Surnommé « The Lip » (la lèvre) en raison de ses propos parfois insolents, Durocher était colérique, arrogant et parfois même mauvais garnement. Un jour, après un avertissement de l'arbitre, il fait semblant de s'évanouir après le retrait d'un de ses joueurs. Les fans trouvent cela drôle mais non l'arbitre qui s'écrie : « Durocher, mort ou vivant, tu es retiré ! » Léo lit deux bouquins par nuit, fréquente des gangsters et marie une actrice de cinéma, Laraine Day. Fameux pour sa réflexion « les bons gars finissent derniers », il remportera 2 010 matchs en 23 ans, ainsi que la Série mondiale de 1954 à la barre des Giants de New York.

Billy Martin

C'est le gérant le plus souvent congédié et embauché de l'histoire du baseball. À lui seul, George Steinbrenner, propriétaire des Yankees de New York, l'a engagé et mis à la porte cinq fois. Perfectionniste enragé, Martin exigeait le même dévouement de ses joueurs. Son attitude a porté fruit. New York a gagné le championnat de l'Américaine en 1976 et 1977, et la Série mondiale en 1977. Hors du terrain, Billy était un perdant, alcoolique et bagarreur. Le jour de Noël 1989, Billy, qui méprisait les ceintures de sécurité, percuta le pare-brise de sa camionnette et se brisa des vertèbres. Il mourut sur le coup.

George « Sparky » Anderson

Piètre joueur avec une moyenne de ,218 à sa seule saison dans les majeures, c'est un gérant remarquable. Ses Reds de Cincinnati — « The Big Red Machine » — ont gagné cinq championnats de ligue et deux fois la Série mondiale dans la décennie 1970 et les Tigers de Detroit ont aussi été champions en 1984. L'objectif de Sparky est de devancer son idole John McGraw au deuxième rang des gérants et il est en bonne voie de le faire. Véritable moulin à paroles, Sparky parle de tout et de rien même si on ne lui pose pas de questions. Il n'hésite pas à remplacer son lanceur à la moindre défaillance mais il s'entend bien avec ses joueurs, particulièrement les recrues, pourvu qu'elles ne portent pas les cheveux longs et des boucles d'oreilles...

Gene Mauch

On le surnommait « le p'tit général » et pour cause : Gene Mauch connaissait le baseball et sa stratégie sur le bout des doigts. Joueur médiocre en son temps (en 16 ans, il ne disputera que 304 matchs dans les ligues majeures), Mauch est un perfectionniste sur le banc et peut-être le meilleur gérant à n'avoir jamais gagné la Série mondiale. Il sera l'un des premiers gérants à noter systématiquement chaque lancer et l'endroit où la balle sera frappée. Il aura la tâche ingrate de mener la barque des Expos, de 1969 à 1975. Respecté de ses joueurs, gardant toujours une certaine distance avec eux, il laissera une marque indélébile à Montréal.

LE RECTANGLE DES INSTRUCTEURS

Au début, le gérant et quelques joueurs choisis jouent les instructeurs. Ils dirigent la circulation et envoient des signaux aux coureurs. Ils causent aussi du chahut, lancent des injures et courent le long des lignes pour énerver le lanceur. Pour contrer ces comportements peu sportifs, ils sont confinés à des rectangles aux premier et troisième buts dès 1887. Le règlement leur interdit en principe de quitter leur boîte mais l'arbitre le tolère s'ils ne dépassent pas les bornes.

Le premier instructeur à temps plein s'appelle Arlie Latham, un petit troisième-but ivrogne et débauché, que John McGraw engage en 1909. Les fans des Giants adorent le voir danser la gigue dans son rectangle mais ils n'iraient pas jusqu'à lui présenter leurs sœurs...

L'instructeur du premier but relaie les signaux, aide le coureur à ne pas se laisser prendre à contre-pied et lui rappelle ce qu'il devrait savoir de toute façon : le nombre de balles, de prises, de retraits, le pointage, la manche, etc. L'instructeur du troisième but est davantage occupé : il fait signe au coureur de se diriger vers le marbre ou de rester en place (il doit donc connaître la force des tirs de tous les joueurs adverses), relaie les signaux de l'abri aux coureurs et au frappeur, le tout avec une grande rapidité.

Parfois, il en met un peu trop. Dans un match contre Pittsburgh, Mike Kelly, instructeur au troisième but de Boston, a joué un mauvais tour à un lanceur recrue. Avec la marque égale en fin de neuvième manche et un coureur au troisième, Kelly demande au lanceur de lui laisser examiner la balle. Le jeune homme lance un lob que Kelly laisse bondir, ce qui permet au coureur de croiser le marbre.

Le premier instructeur des lanceurs, Wilbert Robinson, est aussi embauché par John McGraw, en 1911. L'élève le plus célèbre d'« Uncle Robby » est le gaucher Rube Marquard, membre du Temple de la renommée. À ses trois premières années, sans Robinson, Marquard gagne neuf matchs. Sous la tutelle d'oncle Robby, il en gagnera 73 durant les trois années suivantes.

Les instructeurs des lanceurs se rendent au monticule, soi-disant pour conseiller le lanceur. Un jour, Bob Gibson, des Braves, rend visite à un lanceur en difficulté. Celui-ci retrouve ses moyens et se met à lancer des prises. Gibson, à qui l'on demande sa recette, répond : « Je lui ai dit que s'il n'y avait pas eu 15 000 personnes dans le stade, je l'aurais frappé à la tête. »

Les équipes se mettent à embaucher des instructeurs pour frappeurs vers 1950.

Parfois, les meilleurs instructeurs ne sont pas nécessairement les meilleurs frappeurs mais il arrive qu'ils le soient. Ainsi, Rod Carew, instructeur pour les Angels de la Californie, a maintenu une moyenne offensive en carrière de ,328 en plus de frapper 3 053 coups sûrs.

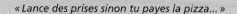

« Lance des prises sinon tu payes la pizza... »

LE GÉRANT D'AUJOURD'HUI

La tâche première du gérant consiste à gagner ; en d'autres termes, il est payé pour se faire du souci. Tout lui est sujet d'inquiétude : ses frappeurs, ses lanceurs et ceux de l'ennemi, les blessés et les traîne-savates, les performants, les léthargiques. Dans ses moments de loisirs, il s'inquiétera aussi de savoir s'il sera encore en poste la semaine suivante. Quelqu'un a dit que la qualité première pour devenir gérant, c'était d'être indépendant de fortune.

Mais 162 fois l'an — et plus souvent avec un peu de chance —, le gérant a d'autres tâches à remplir. Avant le match, il revêt l'uniforme, le seul entraîneur d'un sport professionnel à le faire, et il détermine l'alignement partant. Durant la partie, c'est lui qui décide quand envoyer dans la mêlée un releveur, un coureur ou un frappeur d'urgence. Il choisit aussi les jeux à exécuter : amorti, vol de but, frappe-et-court, court-et-frappe, etc. Il espère que ses décisions seront les bonnes car, en cas d'erreur de sa part, les gérants en pantoufles ne se gêneront pas pour le critiquer.

Contrairement à Harry Wright, le gérant moderne est assisté d'une armée de spécialistes : instructeurs, médecins, kinésithérapeutes, soigneurs, experts en conditionnement physique, préposés aux voyages et à l'équipement, psychiatres, psychologues, motivateurs et gourous de toutes sortes. Après avoir embauché un hypnotiseur, les Browns de Saint Louis devaient perdre 25 matchs en six semaines, ce qui laisse croire qu'ils jouaient dans un état second !

7ᵉ MANCHE

LES FANS ET LES MÉDIAS

IL Y A FANS...

Quelle que soit la décision que prend le gérant, une armée de fans sont aux aguets, prêts à la contester. Certains sont des gérants du dimanche. Ils font savoir au vrai gérant que s'il s'était montré plus malin ou plus courageux, il aurait commandé l'amorti, remplacé le lanceur à la troisième manche et utilisé un frappeur d'urgence à la septième. D'autres se targuent d'être des spécialistes, au courant de l'histoire du baseball et de sa complexité, mais eux aussi se font un devoir de démolir le vrai gérant...

Certains savants prétendent que le mot « fan » vient de « the Fancy », qui en argot anglais désigne les amoureux de la boxe. Un « fancy-bloke » désigne un sportif. Mais « fann » était utilisé il y a 400 ans, comme diminutif de « fanatic », qui désignait une personne à l'enthousiasme si délirant qu'on l'enfermait à l'asile pour la protection du public. Bien sûr, on n'oserait de nos jours imaginer un fan à ce point malade...

Aux premiers temps du baseball, certains fans, éméchés et violents, causent du chahut. Lors d'un match Cincinnati-Brooklyn, le 14 juin 1870, l'un d'eux plaque un voltigeur de Cincinnati pour

l'empêcher de compléter un jeu, et c'est ainsi que prendra fin la série de 84 victoires consécutives des Red Stockings. Les bagarres dans les tribunes sont monnaie courante. Des bouteilles vides, lancées le plus souvent vers l'arbitre, jonchent le terrain. Les parieurs s'adonnent ouvertement à leur passion, souvent avec la complicité des joueurs eux-mêmes. Vers les années 1910, le champ des rêves a les allures d'un champ de bataille ou d'un repaire de bandits.

Un grand ménage s'impose. Le baseball bannit les paris, mesure qui porte finalement fruit après le scandale des White Sox en 1919. On institue également la Journée des dames — les femmes accompagnées d'un homme assistent gratuitement au match, ce qui, espère-t-on, incitera ces messieurs à mieux se tenir. On embauchera aussi des placeurs au physique de gorilles après que, le 15 mai 1912, Ty Cobb eut fait un mauvais parti dans les gradins à un certain Claude Lucker, décrit comme un infirme sans défense.

Et bien sûr il y a la célèbre chanson. Composée en 1908, « Take Me Out to the Ball Game » est un succès instantané. On la chante bientôt dans tous les stades où affluent hommes, femmes et enfants. Le baseball a retrouvé ses lettres de noblesse.

Mais, même de nos jours, l'indiscipline se manifeste à l'occasion. En 1973, après avoir rudement bousculé Bud Harrelson, l'inter des Mets, Pete Rose est bombardé de légumes pourris. Vingt ans plus tard, en 1993, les fans des Angels lanceront des balles de baseball, plus dangereuses que des tomates, sur l'équipe adverse. Et depuis les 25 dernières années, des bandes d'écervelés mettent le feu aux voitures et pillent les magasins, sous prétexte de célébrer la victoire de leurs favoris. Mais, en règle générale, le baseball reste un spectacle paisible.

Certains fans font des trucs étranges. Au Minnesota, ils agitent des morceaux d'étoffe blanche, appelés « mouchoirs maison », et à Toronto, ce sont des éponges géantes bleues en forme de « J », comme dans Jays. À Atlanta, malgré les protestations de groupes amérindiens, la foule brandit des tomahawks rouges en caoutchouc pour encourager les Braves. Et, dans toutes les villes, les spectateurs, section par section, font la vague, excepté au Wrigley Field de Chicago où les puristes lèvent le nez sur cette pratique. Partout également, les fans agitent drapeaux et banderoles, couvertures et pièces de vêtement. Certains sont torse nu, d'autres peignent leur corps aux couleurs de l'équipe ou dessinent le logo de leurs favoris sur leur crâne rasé. À n'en pas douter, les fans sont parfois drôlement excentriques.

... ET FANS

Mais il est des fans prêts à mourir plutôt que de se livrer à ces extravagances. Ils encouragent leurs favoris, bien sûr, mais leur loyauté première est envers le sport du baseball lui-même. Ils connaissent les règlements, sont sensibles au rythme d'un match, savourent la beauté ordonnée d'une partie bien jouée. Ils marquent tranquillement la partie, appréciant en silence un amorti ou un double jeu parfait. Ils adorent les duels de lanceurs et les matchs qui se terminent 1-0. La stratégie les passionne, tout comme ces matchs à l'intérieur d'un match entre lanceur et frappeur, receveur et coureur, gérant et gérant. Ce sont les vrais fans du baseball.

Des millions aux portillons

Depuis 25 ans, l'industrie du baseball a traversé des périodes difficiles mais l'ardeur des fans ne s'est jamais démentie. En fait, la saison 1993 a été, pour l'assistance, la meilleure de l'histoire dans les deux ligues majeures. Les stades de la Nationale ont accueilli 36 923 856 spectateurs et ceux de l'Américaine 33 332 603, une moyenne de plus de 25 000 spectateurs par match. Le record absolu pour une saison est détenu par les Rockies du Colorado qui ont attiré 4 483 350 partisans en 1993, leur première année dans les majeures.

ARTICLES DE COLLECTION

Les fans sont aussi des collectionneurs. Tout leur convient : bâtons, balles, maillots, gants, crampons, talons de billets, musique en feuille, photos, affiches, fanions, casquettes, articles autographiés de toutes sortes.

Mais au-dessus de tout, il y a les cartes. La mode en est lancée vers 1860 avec les photos sur étain et les minuscules photos d'équipes. En 1886, le fabricant des cigarettes Old Judge donne, avec chaque paquet, une carte avec la photo d'un joueur feignant de s'élancer sur une balle retenue par un fil. Les cartes les plus célèbres et les plus chères datent de 1909 à 1911, période où l'American Tobacco Company imprime une série de 524 joueurs reconnus. La plus rare est celle d'Honus Wagner. Fâché que sa photo serve à vendre du tabac aux jeunes, Wagner force la compagnie à stopper les presses, si bien qu'il n'en reste qu'une douzaine évaluées à plus de 200 000 $ pièce. Plus tard, des confiseurs et fabricants de gomme à mâcher — Cracker Jack, Goudey Gum, U.S. Caramel, Chiclets, Gum Inc., Topps — impriment des cartes pour attirer les enfants. On les trouve dans les journaux et dans les emballages de pain, de biscuits, de céréales, de glaces, de croustilles, de boissons gazeuses et de saucisses.

Jadis passe-temps pour enfants, collectionner les cartes devient une industrie pour adultes dans les années 80. C'est un placement qui n'a rien à voir avec la passion de la collection et du baseball. Le prix des cartes monte en flèche, complètement hors de portée des enfants. Aujourd'hui, le ballon s'est dégonflé, et une carte qui valait 100 $ il y a cinq ans se vend maintenant 10 $. Plusieurs adultes ont beaucoup perdu au change. Bien fait pour eux.

Au milieu de la 7e manche, quand l'équipe locale quitte le terrain, tous les fans se lèvent.

Pourquoi ? Quelle est l'origine de la pause de la 7e manche, le fameux « seventh inning stretch » des Américains ? Selon certains, le président américain William Howard Taft en serait l'inventeur. Lors d'un match des Pirates de Pittsburgh en 1910, Monsieur le président se serait levé pour se dégourdir le postérieur, et la foule aurait fait de même par marque de respect.

Mais dès 1869, Harry Wright, célèbre joueur-gérant des Red Stockings de Cincinnati, écrivait à un ami : « Tous les spectateurs se lèvent au milieu de la septième manche. Ils se délient les jambes et les bras et font parfois quelques pas. Cela leur permet de se détendre après une longue période passée sur des bancs durs. »

Depuis 1908, les fans font plus que se délier les bras et les jambes. Ils chantent, et c'est presque partout la même chanson. Un après-midi, un acteur de vaudeville et parolier du nom de Jack Norworth, né John Klem, aperçoit une publicité de baseball dans le métro de New York. Jack n'a jamais assisté à un match — il ne le fera pas avant 1942 — mais une demi-heure plus tard il a écrit les deux couplets et le refrain de son plus grand succès. « Take Me Out to the Ball Game » vient au troisième rang des chansons les plus interprétées aux États-Unis, après « Happy Birthday » et « The Stars and Stripes Forever ».

Le partenaire de Jack, Albert von Tilzer, dont certaines chansons sont encore connues, en compose la musique. Dans la première version, écrite à la hâte, l'héroïne de la chanson s'appelle Katie Casey mais Jack changera plus tard son nom en celui de Nelly Kelly. La plupart ne connaissent que le refrain de la chanson ; voici donc les paroles au complet :

SE DE LA 7ᵉ MANCHE

(1ᵉʳ couplet)

Nelly Kelly loved baseball games,
Knew the players, knew all their
*   names,*
You could see her there ev'ry day,
Shout «hurray,» when they'd play.
Her boy friend by the name of Joe
Said, «To Coney Isle, dear, let's go,»
Then Nelly started to fret and pout,
And to him I heard her shout.

(Refrain)

Take me out to the ball game,
Take me out with the crowd,
Buy me some peanuts and
*   crackerjack,*
I don't care if I never get back.
Let me root root root for the home
*   team,*
If they don't win it's a shame,
For it's one, two, three strikes
*   you're out*
At the old ball game.

(2ᵉ couplet)

Nelly Kelly was sure some fan,
She would root just like any man,
Told the umpire he was wrong,
All along, good and strong.
When the score was just two
*   and two,*
Nelly Kelly knew what to do,
Just to cheer up the boys she knew,
She made the gang sing this song.

LES MÉDIAS

Les médias — les gens qui gagnent leur vie à écrire sur le baseball ou à en parler — sont le trait d'union entre les fans et le baseball. Les deux sont inter-dépendants. Sans fans, pas besoin de reporters et commentateurs de baseball; et sans les médias, il y aurait moins de fans. C'est une association qui convient aux deux partenaires et au baseball en général.

Journaux et magazines

Henry Chadwick, à ce jour le seul journaliste au Temple de la renommée, fut le premier grand reporter de baseball. Né en Angleterre en 1834, où il pratique le cricket et le rounders, une forme primitive du baseball, Henry débarque aux États-Unis à 13 ans. Il y découvre le baseball et, en même temps, sa vocation. En 1858, il complète la rédaction du tout premier livre des règlements. Chadwick rédige aussi le premier guide, Beadle's Dime Base-Ball Player, en 1860, et le premier ouvrage à couverture rigide sur le baseball, The Game of Base-Ball, en 1868. Alors qu'il est reporter pour des journaux de New York et de Brooklyn, il met au point le « box score », le sommaire chiffré des matchs; il sera aussi à l'origine de plusieurs amendements aux règlements. À sa mort, en 1908, juste après le premier match de la saison à Brooklyn, les drapeaux sont mis en berne dans les stades du baseball majeur.

Aujourd'hui, rares sont les journaux sans un reporter de baseball. Certains en comptent même trois ou quatre, sinon plus. Les meilleurs — au début, Ring Lardner, Hugh Fullerton, Grantland Rice et Damon Runyon, et, aujourd'hui, Roger Angell, du magazine The New Yorker, et Thomas Boswell, du Washington Post — écrivent sur le baseball avec amour, honnêteté, intelligence et panache.

Les journalistes pionniers n'ont pas la vie facile. Certains propriétaires tentent même d'empêcher les télégraphistes de transmettre leurs reportages. Ils craignent que la lecture des journaux ne détourne le public des stades.

Mais Alfred H. Spink comprend que le baseball vend les journaux et que les journaux vendent le baseball. Le 17 mars 1886, il publie la premier numéro du Sporting News et son neveu, Taylor Spink, prend la relève en 1914. Jusqu'aux années 40, le magazine sera entièrement consacré au baseball. On trouve de tout dans le Sporting News : l'exclusivité de la semaine, le scandale de la veille, le sommaire des matchs, etc. La famille Spink a vendu beaucoup de journaux — le tirage du Sporting News est encore considérable — et, ce faisant, a grandement aidé la cause du baseball.

De la lecture pour tous

Le processus enclenché par Spink fera boule de neige. Aujourd'hui, des centaines sinon des milliers de journaux, magazines et bulletins traitent de baseball. Tous les sujets imaginables sont couverts : les arbitres, les autographes, les épinglettes, les cartes, le baseball féminin, le baseball japonais, les joueurs décédés. Une publication s'intéresse même aux publications sur le baseball ! Et si vous ne pouvez en trouver une, pourquoi ne pas lancer la vôtre ? À 14 ans, Tyler Kepner, de Gwynedd Valley en Pennsylvanie, publiait le premier numéro de KP Baseball Monthly, un bulletin de 24 pages avec des portraits de joueurs, des concours, des faits insolites et des critiques de livres, bulletin maintenant disponible dans 40 États. Tyler a même sa propre carte de baseball.

« Interdit aux chiens et aux femmes ! » Il y a une cinquantaine d'années, plusieurs tribunes de presse arboraient cette pancarte. Les femmes journalistes étaient très rares et non bienvenues. Elles doivent endurer les gros mots, les blagues de mauvais goût, les tours pendables et la stupidité de confrères et de joueurs. De plus, les vestiaires leur étant interdits — la pancarte « No Dogs or Women » est souvent fixée à la porte —, elles ne peuvent accomplir leur boulot correctement.

En 1979, le commissaire Bowie Kuhn décrète que les femmes journalistes auront enfin les mêmes droits que les hommes. De dire Alison Gordon, affectée pendant cinq ans à la couverture des Blue Jays de Toronto : « Ouvrir la porte du vestiaire n'a pas mené à la fin du monde ou du baseball tel que nous le connaissons. » Mais des joueurs, des gérants et des propriétaires ne comprennent pas. Dave Kingman a déjà envoyé un rat vivant à une journaliste. Et même si les femmes ont prouvé leur compétence, les débouchés restent rares pour elles.

BIG LEAGUE CARDS

TYLER KEPNER
KP BASEBALL MONTHLY

1992

Un grand pas en avant

« Mesdames et messieurs, bienvenue à Candlestick Park. » Tels ont été les premiers mots de Sherry Davis, première femme à occuper à plein temps le poste d'annonceur dans le baseball majeur. Elle est entrée en fonctions le 12 avril 1993 lors du match d'ouverture des Giants à San Francisco.

La radio

L'après-midi du 5 août 1921, la population de Pittsburgh peut, à son grand émerveillement, écouter le reportage du match Phillies-Pirates sur les rudimentaires radios à galène de l'époque. L'annonceur s'appelle Harold Arlin. Il travaille pour KDKA, une station appartenant à Westinghouse Electric chez qui Arlin est contremaître.

Les fans sont conquis mais non les propriétaires, à l'exception de Phil Wrigley, des Cubs de Chicago, qui demande aux stations de cette ville de radiodiffuser les matchs des Cubs en 1925. Pourquoi achèterait-on un billet si l'on peut écouter les matchs gratuitement ? font valoir les proprios.

Ils ont tort, encore une fois. La radio, comme les journaux auparavant et la télévision plus tard, augmente l'intérêt des supporters — et leur nombre — et remplit les coffres. Les propriétaires jubilent quand ils se rendent compte qu'ils peuvent vendre les droits de diffusion aux stations qui, à leur tour, vendent du temps publicitaire aux annonceurs. Henry Ford, le fabricant d'autos, débourse 400 000 $ pour commanditer la Série mondiale de 1934 à 1937. En 1939, toutes les équipes des majeures radiodiffusent des matchs.

LES VOIX DE L'ÉTÉ

Aux États-Unis, l'avènement de la radio et, plus tard, de la télévision crée une nouvelle race de stars : les annonceurs. Les Walter (Red) Barber, Vin Scully, Mel Allen et Harry Caray sont aussi connus que les Roger Maris, Ted Williams et Sandy Koufax. Barber, aujourd'hui décédé — il est mort en octobre 1992 pendant la Série mondiale — est la première véritable vedette des ondes, lui qui se fait connaître dès 1934 comme descripteur des matchs des Reds de Cincinnati avant de passer aux Dodgers en 1939 et aux Yankees en 1963.

Le Québec, seul endroit au monde où le baseball se vit en français, cultive aussi ses vedettes de l'été. Depuis l'entrée en scène des Expos en 1969, les Jean-Paul Sarault, Jean-Pierre Roy, Claude Raymond, Rodger Brulotte, Jacques Doucet, etc. sont des noms familiers au même titre que les Coco Laboy, Mack Jones, Rusty Staub, Gary Carter et Moises Alou.

Rodger Brulotte

Depuis 1984, Rodger Brulotte explose d'enthousiasme sur les ondes de la radio et de la télévision. Son « bonsoir, elle... est... partie ! », expression qu'il a inventée pour souligner un circuit, est entré dans la langue courante des Québécois francophones. Comme son idole John Madden, analyste du football de la NFL, Rodger, qui, lui, est petit (il dit mesurer entre 1m 63 et 1m 68, selon la hauteur de ses talons), se plaît à prévoir les jeux et à prendre position. Quant à son exubérance, il la justifie ainsi : « Ne

Les faussaires des ondes

Les 30 premières années de la radio, les annonceurs recréent l'ambiance des matchs à l'étranger, dont le sommaire leur parvient par télégraphe, grâce à des bruits de foule préenregistrés et à divers effets sonores. Pour imiter le bruit de la balle sur le bâton, on frappe un morceau de bois avec un crayon. Et pour simuler l'explosion de la balle dans le gant du receveur, on fait sauter un bouchon de liège. Ces joyeux faussaires s'amusent, le public également. À Des Moines en Ohio, un jeune homme du nom de Ron « Dutch » Reagan excelle à ce jeu. Il sera plus tard président des États-Unis.

pas savoir s'amuser en faisant ce que l'on aime, c'est se compliquer inutilement la vie. »

Brulotte ne peut s'empêcher de crier ses émotions, Jacques Doucet s'efforce plutôt de les contenir. Ce vétéran des ondes — il décrit à plein temps les matchs des Expos à la radio depuis 1972 — avoue sa dette envers René Lecavalier, ex-descripteur de hockey

Jacques Doucet

qui a influencé deux générations de Québécois par la qualité de sa langue et sa pondération. Issu de la

presse écrite, Doucet assurait la couverture des Expos pour La Presse de Montréal avant de passer à la radio. Modeste, il se dit surpris de sa longévité comme voix de l'été. Son

secret : ne jamais céder à la routine. « Chaque année, nous avons de nouveaux adeptes à qui il faut enseigner l'abc du baseball. » Son plus beau compliment, il l'a reçu

d'un ex-voyant qui lui a dit qu'en l'écoutant il voyait très bien la balle bondir au champ extérieur et frapper la clôture.

La télévision

Le 26 août 1939, une semaine avant le déclenchement de la Deuxième Guerre mondiale, quelque 75 New-Yorkais, assis dans leur salon, regardent et écoutent un écran rond en verre, de la taille d'une grande assiette. Ils regardent en noir et blanc avec des teintes de gris le premier match de baseball télédiffusé aux États-Unis entre les Dodgers de Brooklyn et les Reds de Cincinnati. Ils écoutent la voix traînante de Red Barber, annonceur pour la toute nouvelle station W2XBS.

Trente-six ans plus tard, le 22 octobre 1975, quelque 75 millions de Nord-Américains regarderont le septième match de la Série mondiale entre Boston et Cincinnati. Le petit écran de verre est devenu un géant.

Au début, les propriétaires, une fois de plus, engagent le combat en interdisant la télédiffusion des matchs dans les villes des ligues majeures. Finalement, dans la décennie 1970, alors que le football menace de monopoliser les heures de grande écoute, les fans et les gros sous, les proprios concluent un marché. Les droits de télévision leur rapportent une fortune, et ce, à un moment très opportun. Les joueurs, sous la houlette du directeur de leur syndicat Marvin Miller, ont maintenant le droit d'être joueurs autonomes après six ans de services. Ils peuvent donc se vendre au plus offrant, ce qui explique les salaires faramineux des Bobby Bonds et autres millionnaires du losange.

8ᵉ MANCHE

UN DÉLUGE DE CHIFFRES

Le baseball est un sport de chiffres. Retraits sur trois prises et buts volés, sacrifices et victoires protégées, roulants et grands chelems, points produits et coureurs laissés sur les buts : le baseball crée un déluge de chiffres avec lesquels il s'amuse. Aucun autre sport n'accorde une telle importance aux statistiques.

Au cœur du baseball, il y a le chiffre 3. Trois prises et c'est le retrait ; trois retraits et c'est la fin de la demi-manche ; il faut toucher à trois buts avant de croiser le marbre ; un match a trois fois trois manches et il prend fin quand le lanceur a obtenu trois fois trois fois trois retraits.

Pourquoi trois ? Le chiffre 3 est magique, puissant et mystérieux, et ce, depuis que l'être humain a compris que un plus un plus un égalent trois... Le temps se divise en trois : le passé, le présent, le futur. Une histoire comprend trois parties : le commencement, le milieu, la fin. Trois notes de la gamme produisent un son harmonieux : l'accord. Et plusieurs religions font référence à la trinité, un groupe de trois.

Même le langage courant fait référence à trois. On dit « haut comme trois pommes », « jamais deux sans trois » et « quand il y en a pour deux, il y en a pour trois ». Et quand on apprend l'alphabet, on connaît son abc.

Oui, le chiffre 3 est magique, puissant et mystérieux — comme le baseball lui-même.

Pas bêtes, les arbitres...

À l'époque où il n'y avait que trois arbitres pour un match, la chanson « Three Blind Mice » (trois souris aveugles) a été bannie de tous les stades.

QUELQUES CHIFFRES SURPRENANTS, PAIRS ET IMPAIRS

0 Le numéro porté par Al Oliver à ses débuts avec les Rangers du Texas, après neuf années à Pittsburgh. Il disait vouloir repartir à... zéro.

0,00 La moyenne de points mérités des lanceurs des Giants de New York dans la Série mondiale de 1905 (il s'agissait alors d'une série trois de cinq).

0-0-0 Un match parfait par un lanceur : aucun point, aucun coup sûr, aucun but sur balles pour l'équipe adverse.

1 Un seul joueur a agi comme frappeur d'urgence pour Ted Williams et Carl Yastrzemski : Carroll Hardy dans les deux cas.

1,75 La meilleure moyenne de points mérités pour un lanceur gaucher de la Ligue américaine pour une saison, celle de Babe Ruth en 1916.

3 Le nombre de matchs blancs lancés par Christy Mathewson, des Giants de New York, durant la Série mondiale de 1905.

3 Le nombre de publicités lors du premier match de baseball télévisé en 1939 (une chacune pour Ivory Soap, Mobil Oil et Wheaties).

3,6 Le nombre de secondes nécessaires à Enos Slaughter des Cardinals pour courir du marbre au premier but lors de la Série mondiale de 1946 contre Boston. Après un simple d'un coéquipier, il a ensuite filé du premier au marbre en 10 secondes, point qui devait assurer la Série mondiale à Saint Louis. À propos, il jouait avec une côte fracturée.

5 Le plus grand nombre de frères à évoluer dans les majeures : Ed, Tom, Jim, Frank et Joe Delahanty, de 1888 à 1909. Ed, membre du Temple de

la renommée (moyenne offensive en carrière de ,346), est mort dans des circonstances mystérieuses. En 1903, ivre et brandissant une lame de rasoir, il est expulsé d'un train venu de Buffalo au Canada. Sur le pont de chemin de fer surplombant la rivière Niagara, il croise un chef de train avec qui il se bagarre. On trouvera son corps huit jours plus tard en aval des chutes Niagara. Personne n'a su — ou voulu dire — ce qui s'était vraiment passé.

7 Le plus grand nombre de présidents au pouvoir durant une carrière. Nolan Ryan a lancé sous Johnson, Nixon, Ford, Carter, Reagan, Bush et Clinton.

9 Le nombre d'inters originaires de la République Dominicaine à jouer dans les ligues majeures en une journée, en avril 1988. Quatre venaient de San Pedro de Macoris, l'usine à inters.

10 Le prix d'un abonnement aux matchs de Boston dans les années 1880 — si c'était une femme. Les hommes devaient débourser 15 $.

12 Le nombre de buts sur balles intentionnels accordés à Babe Ruth dans la Série mondiale de 1926 contre les Cardinals. Fâché après le douzième (en neuvième manche du septième match avec deux retraits et les Cardinals en avance 3-2), Ruth sera retiré en tentant de voler le deuxième but. Les Cards gagneront la série, aidés par la seule erreur stupide de Ruth au cours de sa carrière.

13 Le nombre d'années écoulées entre deux coups sûrs du lanceur Charlie Hough. Le 4 juin 1980, il frappe en lieu sûr pour les Dodgers. Il passe ensuite à la Ligue américaine où les lanceurs ne frappent pas. En 1993, il se joint aux Marlins de la Floride, une nouvelle équipe, et, le 4 juin 1993, il réussit un coup sûr aux dépens de Tim Scott, des Padres de San Diego.

15 L'âge du plus jeune joueur à participer à un match des ligues majeures. Joe Nuxhall, un lanceur gaucher de 1m 90 et 88 kilos, lance une manche pour Cincinnati en 1944. (Plusieurs joueurs étant dans l'armée, les équipes offrent alors des contrats aux premiers venus.) Il est débité de deux coups sûrs et cinq buts sur balles. Joe reviendra avec les Reds en 1952, à l'âge plus respectable de 22 ans, et lancera bien pendant 15 saisons.

17 Le plus petit nombre de spectateurs à un match — à Pittsburgh en 1890 — et seulement six d'entre eux avaient payé leur billet !

22 Le plus grand nombre de frappeurs à avoir affronté le même lanceur durant une manche. Le 18 juin 1894, Anthony Mullane, de Baltimore, est complètement nul. Seize points sont comptés contre lui en première manche.

25 Le nombre de manches du match le plus long. Il commence le 8 mai 1984 et il est interrompu à 1 h 05 du matin le 9 mai après 17 manches. Il est repris plus tard le même jour jusqu'à ce que les White Sox battent enfin les Brewers.

35 Le plus grand nombre de points accordés par un lanceur en un seul match — David Rowe, de Cleveland, le 24 juillet 1882.

46 En 1993, le salaire moyen d'un joueur des ligues majeures est de 46 fois supérieur à celui d'un travailleur ordinaire.

82 pouces. (208cm). La taille du joueur le plus grand du baseball, le lanceur Randy Johnson, un ex-Expo.

90 La distance en mètres franchie par un tir de l'olympienne Mildred « Babe » Zaharias, le 25 juillet 1931 à Jersey City.

Championne de course, de saut, de haies, de basketball, de football, de natation, de golf et de baseball, Babe évoluait avec une équipe féminine de tournée et pouvait

fendre le marbre avec un tir décoché du champ centre. Le Canadien Edward Gorbous détient le record absolu. Le 1er août 1957, un de ses tirs a franchi 135,8 mètres.

116 Le plus grand nombre de victoires en une saison — par les Cubs de Chicago en 1906.

134 Le plus grand nombre de défaites en une saison — par Cleveland en 1899.

154 Le nombre de goélands au champ centre du County Stadium de Milwaukee, le 12 juin 1993, lors d'un match entre les Brewers et les Yankees. Gus the Wonder Dog, un labrador, réussit finalement à chasser les oiseaux.

175 Le nombre de mètres franchis par le plus long circuit mesuré des majeures, celui de Dave Nicholson, des White Sox, le 6 mai 1964.

267 Le nombre de fois où un joueur des ligues majeures a été atteint par un tir du lanceur. Le record appartient à Don Baylor, en 19 ans de carrière.

440 Le nombre de dollars versés à une vente aux enchères pour un cure-dents trouvé dans la poche de l'uniforme du lanceur Tom Seaver. L'acheteur était ce même collectionneur fou qui avait acheté un morceau du gâteau de mariage de Joe DiMaggio.

1 117 Le nombre de buts volés par Rickey Henderson, saison 1994 comprise, un record absolu. Il a amélioré la marque du Japonais Yutaka Fukumoto (1 065). Pour souligner l'événement, Yutaka a offert à Rickey une paire de chaussures en or.

2 500 Le nombre de dollars touchés chaque mois de 1993 par le lanceur des Angels, Julio Valera, si son taux de gras était plus bas que le mois précédent.

13 162 Le nombre de joueurs des ligues majeures de 1871 à 1993.

93 103 Le plus grand nombre de spectateurs à un match, le 7 mai 1959, à Los Angeles. Les Dodgers honoraient leur receveur Roy Campanella, paralysé à la suite d'un accident de voiture.

1 000 000 Le millionième point de l'histoire du baseball majeur a été marqué par Bob Watson, de Houston, le 4 mai 1975, au Candlestick Park de San Francisco.

173 000 000 Le nombre de dollars déboursés pour l'achat de la concession des Orioles de Baltimore en 1993, un sommet historique.

Quel est le pointage ?

Voici la plus ancienne carte de pointage connue. Elle est datée du 17 octobre 1845.

Elle indique que le match a pris fin après quatre manches et que les Knickerbockers l'ont emporté par deux « aces » (points). Elle indique également que huit joueurs seulement se sont présentés sur le terrain et que deux d'entre eux ont été mis à l'amende pour avoir proféré des grossièretés. En revanche, la carte ne précise pas le moment où les points ont été marqués ni le nom du lanceur.

À l'époque, les matchs se terminent dès que l'une des équipes marque 21 « aces ». Le système laisse à désirer puisqu'un match peut durer 20 minutes ou cinq heures. Si l'équipe A marque 21 « aces » en une ou deux manches, l'équipe B n'a pas la chance de la rattraper. C'est ainsi qu'en 1857 « Doc » Adams change le règlement : dorénavant un match durera neuf manches.

Peu après, Henry Chadwick invente le sommaire. Bourré de faits et de chiffres, le sommaire permet au connaisseur de revoir et de revivre en un clin d'œil le film du match.

COMMENT LIRE UN SOMMAIRE

Qu'a fait ton équipe hier soir ? Prends le journal et arrête-toi à la section des sports. Le match tout entier est contenu dans un petit rectangle.

[1] DODGERS 6, ROCKIES 7

Los Angeles	pb	p	cs	pp	bb	rb	moy.
Butler cc	3	0	0	0	1	0	.308
Offerman ac	4	1	1	0	0	0	.273
Strawberry cd	4	0	1	0	0	3	.140
Wallach3b	4	1	1	0	0	0	.229
Piazza r	4	1	2	0	0	0	.345
Snyder cg	4	2	2	3	0	1	.311
Karros 1b	4	1	1	0	0	0	.271
LHarris 2b	4	0	1	0	0	0	.214
KeGross l	2	0	0	0	0	2	.167
Nichols l	0	0	0	0	0	0	—
a-Hansen fu	0	0	0	0	1	0	.278
Trlicek l	0	0	0	0	0	0	.000
Totaux	**33**	**6**	**9**	**6**	**2**	**6**	

Colorado	pb	p	cs	pp	bb	rb	moy.
EYoung 2b	4	1	1	0	0	1	.246
Boston cc	3	2	2	1	1	0	.234
Bichette cd	4	0	1	0	0	1	.320
Galarraga 1b	3	1	1	0	1	1	.433
Hayes 3b	4	2	3	1	0	0	.295
JeClark cg	3	1	2	1	1	0	.267
Castilla ac	4	0	0	0	0	2	.311
Sheaffer r	4	0	1	2	0	1	.243
Reynoso l	2	0	1	0	0	0	.083
b-Tatum fu	1	0	0	0	0	1	.200
Wayne l	0	0	0	0	0	0	—
Shepherd l	0	0	0	0	0	0	.000
Grant l	0	0	0	0	0	0	
Totaux	**32**	**7**	**12**	**5**	**3**	**8**	

[5]					
Los Angeles	001 010 004	—6	9	2
Colorado	010 220 20x	—7	12	0

a- but sur balles pour Nichols à la 8e. b - retiré sur 3 prises pour Reynoso en 8e. **[6]**

[7] E - Strawberry (4), LHarris (2). LSB - Los Angeles 2, Colorado 5. 2B - Wallach (11), Bichette (18). 3B - LHarris (1), Galarraga (2). C - Boston (5) c. KeGross, Hayes (9) c. KeGross, Snyder (4) c. Shepherd, Karros (6) c. Reynoso. PP - Wallach (38), Snyder 3 (23), Karros (24), LHarris (4), Boston (14), Hayes (38), JeClark (20), Sheaffer 2 (4). BV - JeClark (3). S - Reynoso. FDDJ - Butler, Karros, JeClark. DJ - Los Angeles 1, Colorado 2.

Los Angeles	ml	cs	p	pm	bb	r	nl	mpm
KeGross P, 5-5	5	8	5	5	2	5	79	4.58
Nichols	2	4	2	1	1	1	27	4.50
Trlicek	1	0	0	0	2	13		4.91

Colorado	ml	cs	p	pm	bb	r	nl	mpm
Reynoso G, 4-3	8	5	2	2	2	5	114	3.53
Wayne	1/3	1	2	1	1	0	18	6.26
Shepherd	0	3	3	3	0	0	7	3.95
Grant VP, 1	2/3	0	0	0	0	3	1	1.72

[8] (Shepherd a lancé à 3 frappeurs en 9e. Coureurs hérités ayant marqué - Shepherd 1-1. BBI - de Nichols (Galarraga). MI - Shepherd **[9]**

[10] Arbitres; Marbre, Davis; 1er but, Gregg; 2e but, Bonin; 3e but, Tata. T- 2:37. A - 51,765.

1. Qui a joué, où, et qui a gagné. Les Rockies du Colorado ont battu les Dodgers de Los Angeles 7-6 au Mile-High Stadium, le domicile des Rockies.

2. La formation partante et la position de chaque joueur. Par exemple, Darryl Strawberry frappait troisième et jouait au champ centre (cc) pour les Dodgers; Vinny Castilla frappait septième et jouait à l'arrêt-court (ac) pour les Rockies; Jim Tatum est arrivé dans le match à la septième manche comme frappeur d'urgence (fu) pour le lanceur (l) Armando Reynoso, neuvième frappeur.

3. La performance des joueurs au bâton. Cory Snyder a connu un match fantastique: en quatre présences au bâton (pb), il a marqué deux points (p) grâce à deux coups sûrs (cs) et a récolté deux points produits (pp). Il n'a pas été crédité d'un but sur balles (bb) et n'a été retiré qu'une seule fois au bâton (rb).

4. Les moyennes offensives des joueurs pour la présente saison. On comprend pourquoi le gérant a remplacé Reynoso par un frappeur d'urgence: sa moyenne n'est que de ,083. La moyenne offensive représente le nombre de coups sûrs d'un frappeur s'il faisait 1 000 présences au bâton. Armando en obtiendrait 83, ce qui est peu. Des moyennes supérieures à ,300, comme celle de Snyder, sont excellentes. Celle de Galarraga (,433) est extraordinaire.

5. Le résumé de pointage, qui indique à quelles manches les points ont été marqués et le total des points, coups sûrs et erreurs pour chacune des équipes. Le « x » en deuxième moitié de la neuvième manche signifie que cette moitié n'a pas été jouée car Colorado avait déjà gagné. (L'équipe d'accueil frappe toujours en deuxième moitié de la neuvième manche.)

6. Les joueurs remplacés par les frappeurs d'urgence, le moment de l'entrée de ces derniers dans le match et leur performance au bâton.

7. La présentation détaillée de la défense, de l'attaque et des courses sur les buts. Les chiffres entre parenthèses représentent les totaux de la saison à ce jour. E = Erreur; LSB = coureurs laissés sur les buts à la fin des manches; 2B, 3B, C = double, triple, circuit; PP = Points produits; FDDJ = Frappé dans double jeu; DJ = doubles jeux par chacune des équipes. (Deux jeux ne se sont pas produits dans le match: BS = Ballon sacrifice et RTV: Retrait en tentative de vol.)

8. Les fiches des lanceurs. Le gagnant (G), le perdant (P), leur dossier victoires/défaites cette saison; ml = manches lancées; cs = coups sûrs accordés; p = points accordés; pm = points mérités (marqués sans l'aide d'une erreur);

bb = buts sur balles; r = retraits sur trois prises; nl = nombre de lancers; mpm = moyenne de points mérités cette saison. La moyenne de points mérités représente le nombre de points mérités accordés par un lanceur à chaque tranche de neuf manches. (On calcule la MPM en multipliant le nombre de points mérités par 9 et en divisant par le nombre total de manches lancées. Pour le match en question, la MPM de Reynoso serait de 2 x 9 = 18 divisé par 8 = 2,25. Une MPM inférieure à 3 est très bonne.) Mark Grant a obtenu sa première victoire protégée (VP) de la saison en retirant deux frappeurs à l'aide de trois lancers.

9. Renseignements supplémentaires sur les lanceurs. Shepherd est entré dans le match avec trois coureurs sur les buts. L'un d'eux a marqué, ce qui explique pourquoi le gérant s'est empressé de faire appel à Grant. BBI = But sur balles intentionnel; ML = Mauvais lancer.

10. Les noms des arbitres et leurs positions respectives, le temps (T) qu'a duré le match en heures et minutes et l'assistance (A).

La course à pied, ça use, ça use...

En 1870, le Forest City de Cleveland pulvérise les Atlantics de Brooklyn 132 à 1. Pourtant, le match n'a duré que cinq manches. Peut-être les joueurs de Cleveland se sont-ils épuisés à courir...

Le frappeur cogne la balle et court. Le troisième-but s'en empare et la lance trop haut au premier-but. Le frappeur est sauf. Lui donne-t-on un coup sûr ? Non. Mais une erreur est attribuée au troisième-but.. Qui en décide ? Le marqueur officiel.

À chaque match des ligues majeures, un marqueur officiel — le plus souvent un journaliste sportif à la retraite ou une autre personne particulièrement compétente — juge les jeux. Le champ d'action du marqueur officiel est vaste : coups sûrs, présences au bâton, buts volés, mauvais lancers, balles passées, points mérités ou non mérités... Le marqueur envoie ensuite dans les 36 heures un rapport statistique complet au siège de la ligue. Le match passe alors à l'histoire du baseball.

La plupart des décisions du marqueur ont trait aux erreurs — des jeux qui auraient normalement dû être réussis mais qui ne l'ont pas été. Les décisions du marqueur n'ont pas de portée sur la victoire ou la défaite mais elles peuvent, entre autres, mettre fin à une série offensive, gâcher un match sans point ni coup sûr, changer la moyenne de points mérités d'un lanceur ou, tout simplement, faire passer un joueur pour un idiot...

COMMENT MARQUER UNE PARTIE

Chaque fois qu'un frappeur se présente au bâton, il se passe quelque chose. La carte de pointage nous dit ce qui est arrivé, où et à quel moment et parfois même pourquoi.

Avec l'habitude, marquer une partie devient facile. Tu peux acheter une carte au stade ou dans un magasin de sport ou même t'en fabriquer une, ce qui est meilleur marché.

Voici une façon simple de marquer une partie. Chaque position est identifiée par un chiffre : 1 pour le lanceur, 2 pour le receveur, etc. Écris sur ta carte les noms et les numéros des positions des joueurs de la formation partante. Ensuite, à l'aide des symboles ci-dessous, note le progrès de la partie du premier lancer au dernier. Tu peux aussi inventer tes propres symboles pourvu que tu puisses t'y retrouver après le match.

Symboles

—	Simple
=	Double
≡	Triple
☰	Circuit
E	Erreur
B	Ballon
BFB	Ballon fausse balle
DJ	Double jeu
JO	Jeu optionnel
RF	Retrait forcé
APL	Atteint par lancer
ML	Mauvais lancer
FI	Feinte illégale
BP	Balle passée
BV	But volé
RTV	Retiré en tentative de vol
S	Sacrifice (amorti)
BS	Ballon sacrifice
KE	Retrait (élan)
KD	Retrait (décision)
BB	But sur balles
BBI	But sur balles intentionnel
◯	Point

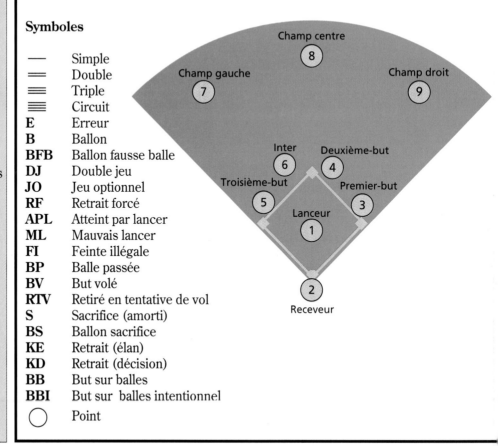

RÔLE DES FRAPPEURS	OTARIES DU CENTRE-VILLE	N° DE LA POSITION	MANCHE 1	2	3	4	5	6	7	8	9
1	CHAMP CENTRE « GAZELLE »	8	BV ④ BB								
2	DEUXIÈME-BUT « LAPIN »	4	9 ③ —								
3	FRAPPEUR DÉSIGNÉ « GROS BRAS »	FD	B7								
4	CHAMP DROIT « LASER »	9	3 =								
5	PREMIER-BUT « RAMASSE-BALLES »	3	BS8								
6	INTER « CURE-DENTS »	6	KE								
7	TROISIÈME-BUT « GANT D'OR »	5		RTV 2-4 APL 6-4							
8	RECEVEUR « PAN DE MUR »	2		—							
9	CHAMP GAUCHE « E.T. »	7		DJ 4-3							
	LANCEUR « BRAS D'OR »	1									
	TOTAUX P/CS		2 / 2	0 / 1							

- Indique premier but
- Indique deuxième but
- Indique troisième but
- Indique marbre (tu peux ainsi suivre la progression des joueurs sur les buts)

Voici la performance des Otaries dans les deux premières manches :

1re manche

- Gazelle obtient un but sur balles, vole le deuxième et marque sur le coup sûr de Lapin.
- Lapin frappe un simple, avance au troisième sur le double de Laser et marque sur le ballon sacrifice de Ramasse-Balles.
- Gros Bras est retiré sur un ballon au champ gauche.
- Laser frappe un double et avance au troisième sur le ballon sacrifice de Ramasse-Balles.
- Ramasse-Balles frappe un ballon sacrifice au champ centre.
- Cure-Dents est retiré sur trois prises — fin de la manche.

Points = 2 ; coups sûrs = 2.

2e manche

- Gant d'Or est atteint par un lancer, ce qui le place au premier but. Il est ensuite retiré en tentative de vol sur un relais du receveur au deuxième-but.
- Pan de Mur frappe un simple et est ensuite retiré au deuxième but sur un lancer de l'inter au deuxième-but (premier retrait du double jeu).
- E.T. frappe dans un double jeu, de l'inter au deuxième-but au premier-but. Fin de la manche.

Points = 0 ; coups sûrs = 1.

La plupart des cartes de pointage ont un espace réservé à la performance des lanceurs : manches lancées (ML), coups sûrs (CS), points (P), points mérités (PM), buts sur balles (BB) et retraits sur trois prises (K). Habituellement, on marque la performance des deux équipes.

PLUSIEURS MONDES, PLUSIEURS MOTS

VERS DES PAYS LOINTAINS

Le baseball est bon voyageur. Le baseball amateur est en vogue dans plus de 80 pays dont le Sri Lanka, le Zimbabwe, les Antilles néerlandaises et la Russie où les enfants apprennent à manier le beetah, à frapper la miuch et à voler le deuxième bahsah. Cuba, pays d'origine de Tony Perez, Luis Tiant et Minnie Minoso, possède une redoutable équipe amateur, gagnante de plus d'une douzaine de championnats du monde et médaillée d'or des Jeux olympiques de 1992, les premiers où le baseball figurait au programme officiel. Pour le baseball professionnel, c'est autre chose. Outre les États-Unis et le Canada, seuls quelques pays (les plus importants sont le Mexique, Porto Rico, la République Dominicaine, le Venezuela, la Corée-du-Sud et le Japon) ont des ligues professionnelles.

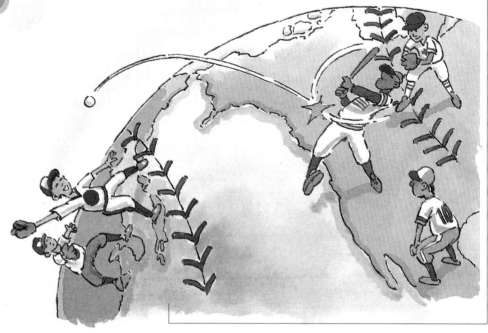

Beisu Bōru

Dans les années 1870, les missionnaires américains débarquent au Japon une bible dans une main et une balle de base-ball dans l'autre. Le Beisu Bōru (baseball en japonais) connaît un succès instantané. En 1908, une équipe universitaire américaine en tournée parvient de peine et de misère à enlever six matchs sur dix aux Japonais. La décennie 1920 voit l'éclosion du professionnalisme. Le Japon compte aujourd'hui deux ligues majeures, avec six équipes chacune. Les clubs embauchent souvent de costauds Nord-Américains — des gaijin ou « étrangers » — reconnus pour leur puissance, comme Cecil Fielder qui a déjà propulsé deux balles hors du stade des Tigers de Hanshin.

Au Japon, les tirs d'intimidation sont rares, sauf à l'endroit des gaijin, et les révérences, nombreuses. Un match ne dépasse jamais 12 manches et sa durée maximale est de quatre heures. Un match nul comble tout le monde de joie, sauf certains fans qui hurlent des grossièretés, lancent des cigarettes allumées, jouent du tambour et de la trompette. Désireux de renforcer des équipes déjà excellentes, les Japonais tentent aujourd'hui de recruter de jeunes joueurs antillais. Qui sait ? Peut-être verra-t-on un jour une série vraiment mondiale entre le Japon et les États-Unis.

Sadaharu Oh

OH LE ROI...

Oh signifie « roi » en japonais et au Japon Oh est un roi. Il s'agit bien sûr de Sadaharu Oh, maître en aïkido, escrimeur chevronné, pianiste de classe et roi absolu des coups de circuit avec 868. Il a aussi été 13 fois champion des points produits en plus de gagner deux fois la triple couronne. Oh avait une position étrange au bâton, dite position de la grue. Il soulevait la jambe la plus rapprochée du lanceur et se balançait sur l'autre jusqu'au moment de l'élan. Il pouvait exécuter ce manège pendant trois minutes sans bouger. Ses bâtons, faits à la main, provenaient d'un arbre rare du nord du Japon. Il tenait à ce que seules les branches de l'arbre femelle soient utilisées.

L'espion d'Amérique

En 1934, des vedettes américaines sont en tournée japonaise ; parmi celles-ci, Babe Ruth, Lou Gehrig, Jimmy Foxx et Moe Berg, receveur des White Sox. Berg, un avocat polyglotte — il parle 12 langues — prend trois bains par jour, s'habille en noir et disparaît souvent. Ce qu'il fait le 29 novembre, jour du match des « All-Stars ».

Vêtu d'un kimono (noir, comme de raison), il filme le centre-ville de Tokyo, perché sur le toit d'un hôpital. Sept ans plus tard, à la déclaration de guerre des États-Unis, les pilotes des bombardiers américains utiliseront le film de Berg pour repérer les cibles. Après avoir abandonné le baseball en 1942, Berg, alors espion à plein temps, accomplit des missions dangereuses en Europe nazie. Il mourra en 1972 avec une moyenne offensive en carrière de ,243 et un dossier d'espionnage parfait.

Béisbol

En juin 1866, un cargo américain accoste à Cuba pour y prendre livraison d'un chargement de sucre. L'équipage invite les débardeurs cubains à jouer à un jeu de bâton et de balle. Les ouvriers acceptent et, à compter de ce jour, le béisbol balaie les Antilles comme un raz-de-marée. Pour les Cubains, le baseball est plus qu'un jeu : c'est une passion, un mode de vie, presque une religion. (Pour plusieurs, c'est aussi la seule façon d'échapper à la pauvreté.)

Les clubs professionnels fleurissent en Amérique latine dès le début du siècle. Des vedettes des Negro Leagues, comme Josh Gibson et Ray Dandridge, signent des contrats sans se faire prier, parfois pour l'argent, souvent pour fuir le racisme américain. Un joueur noir écrira à un journaliste américain : « Ici, au Mexique, je suis un homme. »

Bientôt, les Blancs peaufinent leurs talents en jouant au baseball dans le sud durant l'hiver. Et après que Jackie Robinson eut brisé la barrière raciale, des joueurs latino-américains émigrent au nord. Plusieurs deviennent des vedettes des ligues majeures : Luis Aparicio du Venezuela, Roberto Clemente de Porto Rico, Dennis Martinez du Nicaragua, Fernando Valenzuela du Mexique, Juan Marichal et la famille Alou (Felipe, Matty, Jesus et, plus récemment, Moises), de la République Dominicaine, pays qui est une véritable pépinière de baseballeurs.

UN BÂTON, UNE BALLE ET DES PATINS...

Dans les Territoires du Nord-Ouest, les enfants inuit jouent au baseball sous le soleil de minuit, parfois sur patins.

Le baseball en quatre langues

Béisbol

Lanzador
Lanceur

Jonrón
Circuit

Bateador
Frappeur

Receptor
Receveur

Ponche
Retrait au bâton

Torpedero
Inter

Elevado sacrificio
Ballon sacrifice

Lanzamiento salvaje
Mauvais lancer

Doble jugada
Double jeu

Base robada
But volé

Baseball

Pitcher
Lanceur

Pop-up
Chandelle

Batter
Frappeur

Catcher
Receveur

Squeeze play
Amorti risque-tout

Stolen base
But volé

Double play
Double jeu

Flyball
Ballon

Knuckleball
Balle papillon

Home run
Circuit

Beisu Bōru

Picchā
Lanceur

Battā
Frappeur

Kyattchā
Receveur

Suraidā
Glissante

Fōkubōru
Balle fronde

Sukuizu
Amorti risque-tout

Banto
Amorti

Waindoappu
Élan (du lanceur)

Sutoraiku
Prise

Sayonara hōmuran
Circuit mettant fin au match

DES MOTS, ENCORE DES MOTS...

En plus d'être un déluge de chiffres, le baseball est une inépuisable fontaine de mots. Comme ce sport, tel que nous le connaissons aujourd'hui, est né aux États-Unis, il est normal que la langue anglaise soit la plus influencée par le baseball. Ainsi, si le mot « bat » est le plus courant pour désigner le bâton, les anglophones d'Amérique utilisent aussi « stick », « chopstick », « banana stick », « baton », « hammer », « war club », « log », « wand », « tooth-pick », « weapon ». De même, le terme « ball » a plusieurs synonymes : « aspirin » (que l'on entend aussi en français), « seed », « apple », « cantaloupe », « tomato », « agate », « pea ».

Au fond, tous les anglophones utilisent dans la vie courante, parfois même sans s'en rendre compte, des expressions reliées à la terminologie du baseball, comme ici d'ailleurs, au Québec, en français, lorsqu'on dit « laisser la chance au coureur ». Ils diront, par exemple : « Right off the bat. It's a whole new ball game. Keep your eye on the ball. Are you going to play ball? He plays hardball. Give me a rain check. You're way off base! She threw me a curve. I'm batting a thousand. We'll touch base later. That's out of my league. He's in there pitching. Will you go to bat for me? She came through in the clutch. I couldn't get to first base with him. She's got two strikes against her. He gave me a play-by-play of the movie. I call 'em as I see 'em. You're a major league jerk. »

D'autres mots et expressions sont reliés au baseball même s'il n'y paraît pas à première vue. Voici des exemples :

Ace — Le meilleur lanceur de l'équipe : l'as. « Ace » signifie « le meilleur » depuis le Moyen Âge mais il est resté en vogue dans le vocabulaire du baseball à cause d'Asa Brainerd, un lanceur des Red Stockings qui en 1869 a lancé tous les matchs de son équipe, en gagnant 50 sur 57. Par la suite, tout lanceur sur une lancée victorieuse était qualifié d'« asa », devenu « ace ». Le fait que l'as soit aussi la carte la plus forte dans plusieurs jeux de cartes a aussi joué un rôle.

Charley horse — Ce terme désigne l'élongation d'un muscle ou une crampe, habituellement à une jambe. Attesté pour la première fois dans un reportage sur le baseball en 1887, il s'est frayé un chemin jusque dans les facultés de médecine. L'origine du terme a donné lieu à plusieurs versions qui ont toutes rapport avec un cheval appelé Charley. Selon une version, des joueurs des Cubs de Chicago avaient parié sur Charley, que tous donnaient gagnant. Mais le favori devait perdre ses moyens dans la dernière ligne droite et terminer dernier. Par la suite, tout joueur s'étant étiré un muscle à une jambe était appelé un « Charley horse », terme qui en vint à décrire la blessure même.

Hit-and-run — Cette expression a plusieurs sens en anglais. Elle désigne un délit de fuite (le fait que le responsable d'un accident de voiture quitte les lieux du délit), une stratégie de grève ou une chose ou personne qui disparaît sitôt après avoir frappé. Elle découle directement des stratégies de baseball inventées dans les années 1890 par Wee Willie Keeler et John McGraw, de Baltimore. En français, on dit frappe-et-court ou court-et-frappe, selon le cas.

Jinx — Ce mot désigne en anglais la malchance, quelque chose ou quelqu'un qui porte malheur ou le fait de jeter une malédiction sur quelque chose ou quelqu'un. Sans le baseball, ce mot ne ferait peut-être pas partie de la langue courante. Le grand lanceur Christy Mathewson l'a utilisé en 1912 dans son livre Pitching in a Pinch, et tout le monde s'en est emparé par la suite. Il vient de « jynx », nom de deux espèces de pics (ou pique-bois) d'Europe et d'Afrique, censés posséder des pouvoirs magiques. En français, on emploie le mot « guigne ».

Southpaw — Au début, ce mot (littéralement : patte sud) désignait un lanceur gaucher mais il en est venu à désigner toute personne gauchère. Il apparaît pour la première fois dans un journal en 1885. À l'époque, la plupart des terrains étaient construits avec le marbre à l'ouest pour que les frappeurs ne soient pas éblouis par le soleil — les matchs étaient toujours disputés en fin d'après-midi. Un lanceur gaucher, face à l'ouest, lançait donc avec son bras « sud » ou « southpaw ».

85

LE BASEBALL SE

En 1899, l'inventeur Thomas Edison tourne un film intitulé *Casey at the Bat*, du nom d'un célèbre poème sur le baseball, composé en 1888 (voir page 89). Depuis, le baseball a inspiré plusieurs cinéastes mais pas toujours de façon heureuse, loin de là. Inutile, par exemple, de dépenser ton argent de poche en louant *The Babe* avec John Goodman, ou *Stealing Home* où l'on voit Jodie Foster mourir (de honte probablement). Il reste que le baseball a donné lieu à des films intéressants dont on trouvera une liste partielle à la page ci-contre.

Un autre film qui en vaut la peine, ne serait-ce que par l'originalité de son sujet : *A League of their Own*, qui porte sur le baseball professionnel féminin. Les femmes et les filles jouent au baseball depuis toujours — les premières équipes orga-nisées remontent aux années 1860 — mais elles n'ont jamais accédé aux ligues majeures (en fait, les Petites Ligues ont aboli la barrière des sexes en 1974 seulement !). Mais en 1943, comme plusieurs joueurs participent à l'effort de guerre, P.K. Wrigley, le roi de la gomme à mâcher, fonde la All-American Girls Professional Baseball League. Bientôt, des joueuses talentueuses en jupette évoluent au sein d'équipes aux noms à consonance féminine : les Peaches de Rockford, les Daisies de Fort Wayne, les Chicks de Milwaukee, les Lassies de Muskegon. Mais attention : ces dames ne sont pas là pour rire. Elles prennent leur métier très au sérieux et fournissent toujours un effort maximum.

Plusieurs d'entre elles sont originaires du Canada. La première championne au bâton de la

FAIT DU CINÉMA

ligue est une Torontoise du nom de Gladys Davis. Helen Callaghan et sa sœur Marge viennent de Vancouver. Une saison, Helen vole 114 buts et cette « Ted Williams féminine », comme on la surnomme, affiche en 1945 la meilleure moyenne offensive de toute la ligue. Elle enseigne les rudiments de son sport à son fils Casey Candaele, un ex-Expo qui évoluera ensuite à Houston. Helen est décédée en 1992 mais, avant sa mort, elle avait été honorée à Cooperstown en même temps que ses remarquables compagnes.

Et tu sais quoi ? Aucune d'elles ne lançait « en fille »...

Des héros sur film

Le baseball a donné lieu au fil des ans à plusieurs films de fiction. Parmi les plus célèbres, mentionnons *Angels in the Outfield* (1952), une pure fantaisie où des anges interviennent auprès du maussade gérant (Paul Douglas) d'une équipe à la dérive, *The Natural* (1984) avec Robert Redford, et *Field of Dreams* (1989) avec Kevin Costner.

Cependant, le cinéma a aussi fait une large part aux héros du losange, souvent plus grands que nature d'ailleurs. Voici quelques titres intéressants : *The Pride of the Yankees* (1942) avec Gary Cooper en Lou Gehrig, *The Babe Ruth Story* (1948) avec William Bendix, *The Jackie Robinson Story* (1950) avec Jackie lui-même, *The Pride of St. Louis* (1952) avec Dan Dailey dans le rôle de Dizzie Dean, *The Winning Team* (1952) avec Ronald Reagan, l'ex-président des États-Unis, en Grover Cleveland Alexander, *Fear Strikes Out* (1957) avec Anthony Perkins en Jimmy Piersall. Parmi les films historiques les plus récents, *Eight Men Out* (1988) relate le fameux scandale des White Sox de Chicago qui en 1919 a ébranlé toute la structure du baseball majeur.

QUAND ABBOTT ET COSTELLO S'EMMÊLENT...

« Who's on first ? » Qui est au premier ? Cette question toute simple est le point de départ d'un numéro tordant sur le baseball qui a fait les beaux jours du vaudeville avant d'être rendu célèbre par Bud Abbott et Lou Costello, un duo comique des années 40. La drôlerie de ce sketch repose sur une série de malentendus. Les joueurs dont il est question sont affublés de surnoms qui portent à confusion. Par exemple, le premier-but s'appelle Qui, le deuxième-but, Quoi, et le troisième-but, Je ne sais pas. Voici le début de ce numéro fameux.

Bud Abbott (à gauche) et Lou Costello en train de jouer « Qui est au premier ? »

Abbott : Tu sais, les joueurs de baseball ont de drôles de surnoms de nos jours. À Saint Louis, par exemple, Qui est au 1er, Quoi au deuxième et Je ne sais pas au 3e.

Costello : C'est ce que je veux savoir. Je veux que tu me dises les noms des joueurs de Saint Louis.

Abbott : C'est ce que je fais. Qui est au premier, Quoi est au deuxième et Je ne sais pas au troisième.

Costello : Tu connais les noms des gars ?

Abbott : Oui.

Costello : Eh bien, qui joue au premier ?

Abbott : Qui.

Costello : Je te demande le nom du gars au premier but.

Abbott : Qui.

Costello : Le gars au premier but.

Abbott : Qui est au premier but.

Costello : Pourquoi me le demandes-tu à moi ?

Abbott : Je ne te le demande pas. Je te dis : Qui est au premier but.

Costello : Je te demande qui est au 1er.

Abbott : C'est le nom du gars.

Costello : C'est le nom de qui ?

Abbott : Oui.

Costello : Bon, allez, dis-moi.

Abbott : Qui.

Costello : Le gars au premier.

Abbott : Qui.

Costello : Le premier but.

Abbott : Qui est au premier.

Costello : Y a-t-il un premier-but au premier ?

Abbott : Certainement.

Costello : Eh bien, c'est quoi le nom du gars au premier ?

Abbott : Non, non. Quoi est au deuxième but.

Et ainsi de suite... La confusion grandit au fur et à mesure que les noms des autres joueurs sont dévoilés. Le lanceur s'appelle Demain, le receveur, Aujourd'hui ; l'inter, Je m'en fous ; les voltigeurs, Pourquoi et Parce que. Curieusement, il n'est pas question du voltigeur de droite qui avait peut-être oublié son nom... Abbott et Costello ont exécuté ce numéro des milliers de fois, sur scène, à la radio, à la télévision. Le film du sketch occupe une place de choix au Temple de la renommée de Cooperstown.

Un poème à la gloire du baseball

Ernest L. Thayer adore le baseball. Étudiant brillant à la prestigieuse université Harvard, il y publie un magazine d'humour, écrit la pièce annuelle et ne rate jamais un match. Diplômé en 1885, il séjourne à Paris pour un temps jusqu'à ce qu'un ex-confrère, William Randolph Hearst, propriétaire du San Francisco Examiner, lui propose une chronique d'humour. De retour au pays, Ernest signe sa chronique sous le pseudonyme de «Phin»; écrite parfois en vers, cette chronique dure trois ans. La dernière paraît le dimanche 8 juin 1888 et s'intitule: «Casey at the Bat: A Ballad of the Republic, Sung in the Year 1888».

Personne n'en tient compte. Pourtant, quelques mois plus tard, William DeWolf Hopper, artiste de vaudeville et engagé par un théâtre de Broadway, confie à un ami qu'il ne sait trop comment divertir les invités de la soirée, les Giants de New York et les White Sox de Chicago. L'ami tire de son porte-monnaie une coupure de presse ratatinée. Ce soir-là, Hopper récite Casey at the Bat et reçoit une ovation. En cinq minutes et 40 secondes, il est devenu célèbre et le poème, immortel.

Hopper récitera Casey 10 000 fois en 45 ans. Mais «Phin» dans tout ça? Personne ne connaît son nom et des dizaines d'imposteurs revendiquent la paternité du poème. Finalement, pressé par des amis, Ernest Thayer reconnaît être l'auteur du poème le plus célèbre des États-Unis. N'ayant jamais cru que Casey at the Bat était si bon, il ne comprendra jamais le battage publicitaire autour de son poème. Il a écrit: «Sa popularité durable est tout simplement inexplicable... Il est difficile de dire s'il m'a procuré plus de joies que d'ennuis.»

Les Petites Ligues : 84 pays se lancent la balle

Qu'ont en commun Pierre Turgeon et Stéphane Matteau ? Si vous avez répondu : le hockey, vous avez raison, car les deux font carrière dans la Ligue nationale. Mais il y a plus. En 1982, à l'âge de 12 ans, ils faisaient partie de la même équipe de baseball, à Rouyn-Noranda, leur ville natale. Une équipe de l'organisation internationale des Petites Ligues (Little Leagues) qui regroupe 2,8 millions de jeunes de 5 à 18 ans dans 84 pays. En 1982, Pierre et Stéphane, deux lanceurs, aidaient Rouyn-Noranda à remporter le championnat canadien.

Les Petites Ligues comptent cinq divisions, selon la catégorie d'âge. La plus connue est sans doute celle des 11-12 ans qui dispute chaque année sa Série mondiale à Williamsport, en Pennsylvanie. C'est là qu'était fondée en 1939 la première Petite Ligue qui comptait trois équipes de joueurs âgés de 8 à 12 ans. Cinquante-cinq ans plus tard, 190 000 équipes représentent les cinq continents font partie de l'organisation. Le Canada, où la Petite Ligue a été lancée en 1951, compte 79 000 joueurs dans 6 433 équipes, dont 6 823 au Québec dans 534 équipes.

Plusieurs joueurs des ligues majeures ont participé à la Série mondiale des 11-12 ans qui, par tradition, se déroule à la fin août ; mentionnons Derek Bell, Gary Sheffield et Charlie Hayes. Comme les États-Unis accèdent automatiquement à la finale, ils ont gagné plus souvent la Petite Série mondiale que tout autre pays. Mais, comme c'est le cas dans les ligues majeures, les Américains là aussi ne possèdent plus le monopole du talent. En 1994, le Venezuela a conquis le titre, un exploit que la petite île asiatique de Taiwan a accompli à 15 reprises. Le Canada, lui, ne l'a jamais remporté même s'il a disputé la finale en 1965. Mais l'important, c'est la dernière phrase du Serment des Petites Ligues : « Je jouerai honnêtement et j'essaierai de gagner, mais que je gagne ou non, je ferai toujours de mon mieux. »

LES CLUBS-ÉCOLES, UNE PÉPINIÈRE DE TALENTS

En 1994, les Expos de Montréal avaient, selon plusieurs, la meilleure équipe du baseball majeur avec des joueurs comme Marquis Grissom, Larry Walker, Wil Cordero et Cliff Floyd. Ces vedettes établies ou en herbe avaient ceci de particulier qu'elles avaient progressé au sein même de l'organisation des Expos, dans le réseau des clubs-écoles.

Aujourd'hui, toutes les équipes des ligues majeures possèdent des clubs-écoles mais il n'en a pas toujours été ainsi. C'est Branch Rickey, l'un des dirigeants les plus influents de l'histoire du baseball, qui a mis au point ce système dans les années 20 alors qu'il était avec les Browns de Saint Louis. En 1947, avec les Dodgers de Brooklyn, ce même Branch Rickey brisera la barrière de la couleur en embauchant Jackie Robinson. L'idée de base des clubs-écoles est simple : permettre à chaque club de cultiver ses propres talents, de former des joueurs selon ses attentes et besoins.

Depuis plusieurs années, le réseau de clubs-écoles des Expos est considéré comme l'un des meilleurs des ligues majeures. Il a développé des vedettes tels Steve Rogers, Larry Parrish, Gary Carter, Tim Wallach et Andre Dawson. Comme tous les autres, il compte trois niveaux principaux : A, AA et AAA. La filiale A des Expos est établie à West Palm Beach en Floride. Pour ne citer qu'un exemple, le voltigeur Rondell White y évoluait en 1992. L'année suivante, il était promu au niveau AA avec les Senators de Harrisburg, en Pennsylvanie. Ses progrès ont été si rapides qu'en 1993 toujours il a accédé au niveau AAA avec les Lynx d'Ottawa avant de faire le saut avec la grosse équipe à la fin de la saison.

Les Expos comptent deux autres clubs affiliés de niveau A, les Bees de Burlington dans l'Iowa et les Expos du Vermont. Deux autres clubs mineurs font aussi partie du réseau des clubs-écoles : les Expos de Gulf Coast (Floride) et les Expos de Mendoza (République Dominicaine). Qui sait ? Peut-être un autre Carter, Dawson ou Grissom est-il en train de voir le jour dans une de ces écoles qui sont la pépinière du baseball majeur.

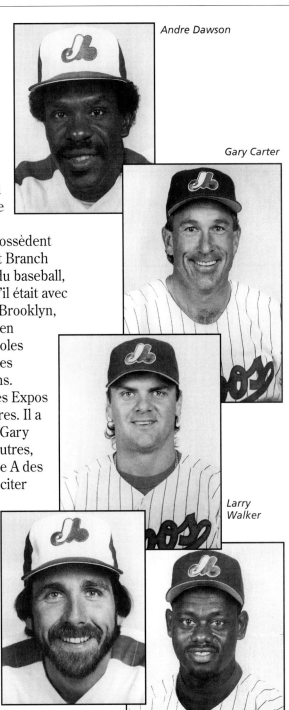

Andre Dawson

Gary Carter

Larry Walker

Steve Rogers

Marquis Grissom

Glossaire

But sur balles — Si le lanceur effectue quatre tirs hors de la zone des prises sans que le frappeur s'élance, celui-ci passe automatiquement au premier but.

Ballon — Une balle qui, au contact du bâton, s'élève haut dans les airs. Si elle est attrapée avant de toucher le sol, le frappeur est retiré. Ce règlement a été adopté par les Knickerbockers de New York en 1915.

Contre-pied (prendre à) — Retirer un coureur trop éloigné du but qu'il occupe. Un jeu à contre-pied se produit quand le lanceur ou le receveur lance subitement la balle à un joueur défensif pour surprendre le coureur.

Crampons — Petites pièces de métal, de caoutchouc ou de plastique fixées sur la semelle ou le talon des chaussures d'un joueur pour faciliter la traction. Un joueur est « cramponné » quand l'adversaire glisse vers lui pieds devant ou qu'il le piétine.

Double jeu — Le fait de retirer deux coureurs sur un même jeu ininterrompu.

Enclos (des releveurs) — Endroit où les releveurs s'assoient ou s'échauffent durant un match. Le premier enclos (« bullpen » en anglais) a été installé au Polo Grounds, domicile des Giants de New York, en 1905.

Erreur — Une bévue de l'équipe en défense — par exemple, une balle échappée ou un tir hors cible — qui bénéficie à l'équipe adverse. Henry Chadwick en a eu l'idée en 1858.

Feinte illégale — Un mouvement illégal du lanceur avec un ou des coureurs sur les buts. Le livre des règlements prévoit 13 cas, y compris laisser tomber la balle ou feindre de lancer vers un but inoccupé. La feinte illégale (« balk » en anglais) la plus commune survient quand le lanceur ne fait pas la pause prescrite entre la motion et le lancer.

Quand il y a feinte illégale, tous les coureurs avancent d'un but.

Frappeur désigné — Un joueur qui ne joue pas sur le terrain en défense mais qui frappe à la place du lanceur. Ce règlement, adopté en 1973, ne s'applique qu'à la Ligue Américaine.

Gradins à prix populaire — Des sièges bon marché derrière la clôture du champ extérieur. À l'origine, il s'agissait d'une section de bancs non réservés, sans dossiers et sans toit, où les fans se faisaient décolorer par le soleil, d'où le terme anglais « bleachers ».

Grand chelem — Un circuit avec trois coureurs sur les buts. Emprunté au bridge (jeu de cartes), ce terme ne s'applique au baseball que depuis 1940.

Grillage — Treillis métallique derrière le marbre qui protège les fans.

Inter — Une position aussi appelée arrêt-court, qui a été occupée pour la première fois par Daniel Adams en 1849. Sa tâche consistait à relayer la balle, alors légère, du champ extérieur au lanceur. Aujourd'hui, l'inter fait partie de l'avant-champ et se positionne entre le deuxième et le troisième but.

Jeu (en) — Se dit d'une balle dans l'aire de jeu entre les lignes de démarcation, ces lignes blanches qui vont du marbre aux poteaux de démarcation des champs gauche et droit.

Jeu (hors) — Se dit d'une balle hors des lignes de démarcation.

K — Le symbole d'un retrait sur trois prises. Son origine s'explique de deux façons :
a) en mettant au point son système de pointage en 1861, Henry Chadwick a choisi la lettre « K », la plus importante du mot anglais « strike », ayant déjà utilisé le « S » pour « sacrifice » ;
b) en mettant au point son système de pointage,

M. J. Kelly, marqueur officiel et journaliste du New York Herald, a choisi la première lettre de son nom.

Manche — Partie d'un match où chaque équipe a la chance de marquer des points jusqu'à ce que trois de ses joueurs soient retirés. L'équipe visiteuse a son tour au bâton à la première moitié de la manche, et l'équipe locale à la deuxième moitié de la manche.

Moyenne — Désigne habituellement la moyenne au bâton, le nombre de coups sûrs d'un joueur, divisé par le nombre de présences officielles au bâton, jusqu'à la troisième décimale. Parmi les autres moyennes importantes, on note la moyenne de présences sur les buts, le nombre de fois où un joueur va sur les buts, divisé par le nombre de présences au bâton, et la moyenne de puissance, le total de buts, divisé par le nombre de présences au bâton.

MPM — Moyenne de points mérités, la donnée statistique la plus importante pour un lanceur. Elle donne le nombre moyen de points accordés par le lanceur pour chaque tranche de neuf manches, sans tenir compte des points marqués à la suite d'erreurs. On obtient la MPM en divisant le nombre de points marqués par le nombre de manches lancées et en multipliant le résultat par 9.

Partie parfaite — Un match où aucun joueur adverse ne se rend au premier but, c'est-à-dire où le lanceur d'une équipe retire dans l'ordre les 27 frappeurs de l'autre équipe : 3 retraits x 9 manches. La partie parfaite la plus célèbre a été réussie par Don Larsen, des Yankees de New York, dans la Série mondiale contre les Dodgers de Brooklyn en 1956.

Présence au bâton — Le fait de se présenter au marbre comme frappeur. Si le frappeur obtient un but sur balles, un coup sacrifice ou est atteint par un lancer ou encore est au marbre quand un coureur devient le troisième retrait de la manche, la présence au bâton n'est pas officielle, c'est-à-dire qu'elle ne compte pas dans les statistiques de la moyenne au bâton du frappeur.

Recrue — Un joueur à sa première saison chez les pros.

Rôle des frappeurs — La liste des neuf joueurs qui commencent le match, dans l'ordre de leur présence au bâton. On dit aussi la formation partante. La liste est remise à l'arbitre avant le match. Un frappeur qui ne frappe pas à la place qui lui est assignée est automatiquement retiré.

Roulant — Une balle qui, au contact du bâton, bondit ou roule en frappant le sol à l'avant-champ.

Sacrifice — Un jeu où le frappeur se sacrifie en se faisant volontairement retirer pour permettre à un coureur d'avancer d'un but ou de marquer. Le frappeur a le choix entre l'amorti sacrifice ou le ballon sacrifice, que ce dernier soit en jeu ou hors jeu.

Signal — Un signal secret fait à l'aide des mains et des doigts. Il peut être émis du receveur au lanceur pour commander tel ou tel tir ou de l'instructeur au frappeur ou au coureur pour tel ou tel jeu : amorti, frappe-et-court, vol de buts.

Surveiller le coureur — Garder un coureur près du but. Habituellement, pour ce faire, le lanceur lance la balle ou feint de la lancer au joueur défensif. Celui-ci doit rester sur le but.

Triple jeu — Un jeu qui résulte en trois retraits consécutifs.

Victoire protégée — Le fait pour un releveur de protéger l'avance du lanceur partant. La VP est devenue une donnée statistique officielle en 1969.

Zone des prises — L'espace au-dessus du marbre délimité en largeur par les côtés du marbre et en hauteur par l'espace entre les aisselles d'un frappeur et ses genoux, quand il est dans sa position normale au bâton. En dépit du règlement, chaque arbitre semble avoir sa propre définition de la zone des prises.

Index